JN109859

絶体絶命のピンチを切り抜ける

スマート

言い訳

全集

著 きりき　絵 千野エー

小学館

カバー・本文デザイン：小口翔平＋奈良岡菜摘＋阿部早紀子（tobufune）
コラムデザイン・DTP：五十嵐好明（LUNATIC）
校閲：小学館クリエイティブ校閲室
編集：井高玄貴（小学館クリエイティブ）

はじめに

初めまして。本書を執筆しました、きりきと申します。

　私は1日の大半の時間を会社の机で費やすような、しがないサラリーマン生活を送りつつ、休日を利用して仕事や日常生活に役立つコンテンツをテーマとした同人誌の執筆活動も行っています。

　日々、同じような仕事を続けていると、ちょっとしたミスや遅刻をすることはしょっちゅうです。よほどの大事でなければ、「ミスの原因と再発防止風の言い訳〜謝罪の言葉を添えて〜」を上司に説明し、ありがたいお小言を頂戴して終わるというのが常でしょう。

　反省して「次こそはミスしないぞ」と心に誓っても、想定を上回るインシデントが発生して、またお小言を頂戴する…というのが人並みの会社員です。定年までミスなし完全試合のエリート会社員なんて、そうそう存在するはずがありません。

　もちろん私も人並みの会社員ですので、これまでに数え

きれないほどの言い訳を重ねてきました。

　しかし、それらの経験をケーススタディの題材として活用し、日々研究を行うことによって、徐々にではありますが「それならば仕方ないか」と相手を納得させやすい、ある種のパターンのような言い訳があることに気がついたのです。

　その後、仕事に限らず日常生活全般のトラブルにも視野を広げ、様々なシーンを想定して試行錯誤した結果、ピンチをスマートに乗り越えることができる効果的な言い訳、すなわち「スマート言い訳」を考案するに至りました。
　相手に「言い訳がましい感じ」を感じさせることなく、禍根を残さないように乗りきろうという気持ちもこの言葉には込めています。

　その研究成果をまとめる目的で制作したのが、同人誌版『スマート言い訳全集1〜3』でした。

　それぞれ8つほどのシーンを収録し、それに対応する言い訳を紹介するシンプルな内容でしたが、以外にも好評を博し、同人イベントでは売り切れになることもありました。

それをご覧いただいた編集者の方からお声がけいただき、1冊の書籍としてまとめることとなった、というのが本書を制作するにあたっての大まかな経緯です。

　掲載するシチュエーションおよび、スマート言い訳の内容については、過去3冊の同人誌で発表したものから大幅に増補改訂を行いました。
　アップデートはもちろん、同人誌版に収録したものと同じシチュエーションであっても、より適した言い訳に差し替えたりしています。

　本書は日常的に発生しうるピンチの場面を具体的に取り上げており、そのシチュエーションごとに活用できるスマート言い訳を2〜3つずつ紹介していくような構成です。

　大きく4つの章立てに分類して、シチュエーションごとに言い訳の使い方や注意点を一緒に記載しています。

　第1章は仕事やオフィスなどで、職種によらず発生すると思われるシチュエーションについて。
　遅刻や早退、サボっているのが見つかったなどのよくある状況に加えて、近年増えつつある在宅勤務に関するシーンについても掲載しています。

第2章では、仕事から離れて日常生活において起こりそうなシチュエーションをまとめました。

　友人と出かける場面やショッピング、会話中のトラブルなど、生活の様々な場面を切り取って紹介しています。

　第3章は、恋愛やパートナーとのやり取りで発生するシチュエーションを集めました。

　浮気を疑われている場合やデート中のちょっとしたトラブルなど、男女関係にまつわるいざこざについてのスマート言い訳がおもな内容になっています。

　最後の第4章では、家族の間や家庭内で起こるピンチを紹介。

　家事分担や家庭内でのちょっとしたトラブル、家族サービスより自身の趣味を優先したい場合など、所帯を持った人間であれば誰もが一度は経験するであろうシーンをまとめました。

　シチュエーションの選定に関しては、私の経験則を盛り込んだうえで適宜アンケートなども行い、思わず言い訳がしたくなるような「あるある度」の高い場面を優先的にピックアップしてみました。

本書に紹介しているスマート言い訳を実践していただく機会があれば何よりですが、頭の片隅にストックしておくだけでもいざというときの助けになると考えています。

　なにか不安な事態に直面したときでも「こう言い訳しよう」と、あらかじめ考えがあるだけで、行動に自信が持てるようになるからです。

　そのため本書を読み、いつか直面するであろうピンチの備えとして、もしくは、すでに直面している危機的状況を乗り越えるためのツールとして役立てていただけましたら、それに勝る喜びはありません。

　長々と書きましたが、そろそろ本編です。最後までお付き合いいただければ幸いです。

第 1 章 ‖ 仕事・オフィス編　13

第 **2** 章 ‖ 日 常 生 活 編　75

第 **3** 章 ‖ 恋愛・パートナー編　　113

コラム

仕事・オフィス編

急な休み（1日／半日）を取りたい

　新作ゲームの発売日、やっと取れた人気イベントの平日枠、単純にだるいなど、「この日（今日）はどうしても休みたい！」という状況が発生することはよくある。寛容な職場であれば調整することも可能だが、私的な理由で有休を入れると嫌な顔をされることも多い。そんなときは突発的にやむをえない事象が発生したという言い訳で乗りきろう。ただし間違っても、言い訳したことを忘れて出先で買ったお土産などを渡したりしてはいけない。

急に家族が遊びに来て…

　友達や恋人に比べ、特別な存在であるが故に「キャンセルできないのも仕方がない」という感じが出やすい。家族が遠方に住んでいることを伝えてあると、より効果が増す。家族から「これから行くよ」などのメッセージが来て、来訪するのを忘れていたことに気がついた…など、急な連絡になった理由を固めておこう。

ワンポイント
アドバイス

「急ぎで対応が必要な案件はない」と併せて
伝えておくと、印象を損なうこともない。

言い訳
02 >

免許／パスポートの
更新を忘れていた

　普段財布に入っていて更新日を意識することのない免許証や、めったに使わないため有効期限があやふやなパスポート。その更新はおもに平日に行わなければならないが、期限を超過するわけにはいかない。パスポートの場合は近々海外旅行に行く計画がある、ということを伏線として張っておくと使いやすい。また、免許証を理由に使う場合は相手が自分の誕生日を知らないことが前提となる（更新時期がわかってしまうため）。

車通勤ならば「車両の不具合」に

車通勤限定だが「エンジンがかからない」「バッテリーがあがっている」など、車の調子が悪いという言い訳も不可抗力であることが伝わりやすい。特にバッテリー不調は前触れもなく起こることもあるのでおすすめ。親切心を働かせた同僚が家に迎えに来てしまう、といったことを避けるためにも伝えるタイミングには注意しよう。

02 | 早退したい

　どうしても遅刻したくないイベントや、前日移動で現地に向かう旅行、スタートダッシュを決めたいゲームのリリースなど、定時より少し早めに切り上げたいとき。電話／メールで済む遅刻や欠席の連絡と違って、早退は対面で説明する必要があるため、周囲にも気を遣った言い訳が必要になる。そのため「どうしても早退しなければならない」という感じと、今日でなければ時間的に余裕がないということを全力でアピールしよう。

言い訳 01 > 歯が痛いので歯医者に行きたい

歯の痛みはある程度我慢ができることもあり、歯医者に行くのは遅れてしまいがちである。このため、体調の悪さを演出しなくとも、普段通りに過ごしている最中に突然使うこともできる。実際に治療したかどうかも見た目からはわかりにくいため、仮病を疑われることもない。

言い訳 02 > コンタクトを片方なくしてしまい、今日中に眼科に診てもらいたい

なにかの拍子にコンタクトを片目だけなくしてしまい、視界が歪んで仕事にならないことを伝えよう。併せて、落とした可能性も低く、目の裏側に入り込んでいるかもしれないので、早めに眼科に行きたいことを付け加えると緊急性が伝わる。特に使い捨てタイプを使用している場合に言いやすい。

ワンポイント アドバイス ‖ 念のためコンタクトを片目だけ外しておくと、目を見られても安心だ。

言い訳 03 > パートナーの予定が変わり、子どもの世話をしないといけなくなった

子どもがいることを周囲に伝えていたうえで、育児に関する話題を日常的にしておくと、「急な熱で電話がかかってきたが、パートナーの都合がつかないため早退する」などと言えば、自然と受け入れてもらえるだろう。しかし、短期間であまり多用すると「もう少し家庭内での調整を」と言われてしまう危険性があるので、注意すること。

03 | 始業時間に 遅刻してしまった

　日常的にスケジュール調整が必要となる会議とは異なり、始業時間が変更されることはそうそうない。このため時間を間違えていたという言い訳は、初日しか通用しない。通勤途中でお腹が痛くなったというテンプレ仮病もあるが、疑いの眼差しを向けられることが容易に想像される。家を出る際、もしくは移動中にやんごとなき理由が発生してしまったという感じを演出しよう。

言い訳 01 > 家の鍵を掛け忘れていることに気がついた

玄関や窓の鍵の掛け忘れに移動途中で気がついたならば、一度戻って確認するのが一般的だろう。防犯上のリスクを考えても開けっ放しで会社に来いとは、さすがに言われないはずだ。「最近近隣で空き巣被害が起きた」と付け加えてもよい。鍵を掛け忘れたまま、一日を過ごすのが不安であることを強調できる。

 ワンポイントアドバイス ‖ カードキーや電子キーの場合は、「反応しないためスペアを探していた」と言うのもあり

言い訳 02 > 子どもがぐずった

いつも通り保育園に送り届けた後に出社の予定が、なぜか今日だけ機嫌が悪くあやすのに手間取ってしまった。大泣きしている子どもを無理やり抱えて近所を歩くのも気が引けるので、少し落ち着かせてから家を出たと説明しよう。連絡したかったのだが、子どもの面倒で手いっぱいだったことを謝罪とともに伝える。

言い訳 03 > 駅の駐輪場が今日に限って空いていなかった

最寄りの駅前に駐輪場があり、電車がギリギリの今日に限って満車だったという状況である。遅刻した時間の度合いによって、仕方ないので家にいったん帰って今日は徒歩にしたとか、近くの別の駐輪場にとめることができたが時間のロスをした、という追加のオプションを使い分けよう。

在宅勤務にしたい

　たとえ会社の近くに住んでいようと、朝起きて支度をし、時間通りに出社するという行為を毎日行うのは大変だ。今では在宅勤務も一般的なスタイルとして定着しつつあるが、なかなか簡単には承認しない方針の会社もあるだろう。移動時間が長く往復の時間がもったいないとか、体調が悪いとまではいかないができれば安静にしたいときなど、在宅で仕事がしたいときに使える言い訳を紹介する。ただし、あくまで在宅勤務にするための言い訳なので、信頼度を下げないためにも、サボるのはやめよう。

言い訳 01 > クール便が来る

　普通の宅配物なら置き配をしてもらうという選択肢も可能だが、ポイントはクール便であることだ。荷物の温度を保つ必要があり、宅配ボックスがあっても使うことはできず、指定された時間に待機しておくしかない。普段なかなか会えない祖父から、「釣り上げた鮭を送りたい」と連絡が来た、などの具体的なエピソードを追加するのも有効だ。

言い訳 02 > 会議室の空きがなく、オープンスペースではできないミーティングがある

　オフィスの席で独り言をつぶやいている同僚に背後から声をかけたらオンライン会議中だった、という経験はないだろうか。時には社内でも機密に注意するような案件を扱うこともあり、前述したような事態を避けようにも会議室がすべて埋まっているため、在宅しか手段がないのである。

ワンポイントアドバイス ┃ 会議だけではなく、画面を見られたくない作業や資料がある、としても有効。

言い訳 03 > 子どもの体調が悪く、保育園／学校から連絡が来たらすぐに迎えにいかなければならない

　子どもを保育園に送ってから出社しようと思ったが、ややだるそうで微熱もあった。これ以上熱が上がると、迎えに来るよう連絡が来る可能性が高い。そうなった場合、パートナーは仕事の都合で対応できず、会社からだと時間がかかってしまうため、在宅で待機したいと伝えよう。

05 | 領収書をなくした

　もらったはずなのに見つからない、今日中に経費の精算をしなければならないのに家に置いてきてしまった、業務とは関係のない内容を正直に書いてしまったなどなど、どうしても領収書が提出できないシーンは会社生活において多々発生しうる。ときには現金同等の価値のある領収書、それをなくしてしまったのだから相応の言い訳が必要だろう。

言い訳 01 > もらった領収書を財布に入れたのですが、その財布をなくしてしまい…

「なくした」ということが大切。探せば出てくる可能性があるが、今は見つけられなかったということだ。気の毒な状況であるため、同情が説得力を後押しする可能性もある。なお、なくした（ことになっている）財布はしばらく使うのを控えること。「見つかったなら領収書を提出して」と言われる危険性があるからだ。

言い訳 02 > 宛名を間違えて書かれたので、使えないと思って捨てました

会社名で書いてもらわなければならないところを個人の名前にしてしまった、品目が間違って書かれていたなど、提出できない記載になってしまったことを説明する。お会計を急いでおり、もらったときは細かい記載に気がつかなかったことも併せて主張すると、その場で訂正できたのではという指摘に対抗できる。

言い訳 03 > ポケットに入れて洗濯してしまった

会計時、後ろに並んでいる人から無言のプレッシャーを受けているなか、急ぐあまり領収書を焦ってポケットに押し込んだ。その後、洗濯された服のポケットからくしゃくしゃになった（元）領収書が発見された、という筋書きだ。自己責任によるところが大きいので、見逃してもらう可能性を上げるためにも少額の精算の際に使うことをおすすめする。

 ワンポイントアドバイス ‖ 小道具として水でクシャクシャになった紙を用意すると説得力が増す。

06 | 仕事中に居眠りした

　睡魔とは恐ろしいものである。突然にして襲いかかり、一切の抵抗を許さず眠りへと誘う。しかし心地よい睡眠のあとに訪れる現実はそれほど甘いものではない。ほんの数秒だったのか、数分だったのか、どれほどの時間寝てしまったのかはさほど問題ではなく、睡魔に襲われたのが業務中であったことが問題なのである……などと、壮大な物語風に語ったところで上司は許してはくれない。寝起きで頭がぼうっとしているだろうが、まずは釈明しよう。

01 > 花粉症の強い薬を飲んだ副作用で…

　一般的なスギ花粉となると春を想像するが、ヒノキやイネなどスギ以外でもアレルギー反応が起きるため、シーズンにあった植物を事前に調べておこう。「去年までは問題なかったが今年から症状が出た」という場合もあり、症状がひどい日だけ強い薬を飲むというケースもありうる。薬の種類や副作用の度合いは人によって異なることから継続的に使いやすい。

 ワンポイント
アドバイス ┃┃ ハウスダストや一時的な喘息症状を
薬服用の理由にしてもいい。

言い訳 02 > 最近枕と布団を替えたため 眠れなくなってしまった

　人生の三分の一を占めると言われている睡眠時間。QOLを考えて思いきっていい寝具に買い替えたところ、全然体に合わず、結果的に眠れなくなってしまった残念な状況である。突飛な内容であるため、ふざけていると思われそうだが、これを至極真剣に説明することで逆に説得力をもたせられる。

言い訳 03 > 昨晩深夜、近所に緊急車両／ 警察が来て朝まで眠れなかった

　緊急事態であれば深夜だろうと関係ない。近所で何が起こったのかはわからないが、真夜中にサイレンが鳴り響き、外もずっと騒がしかった。野次馬は迷惑になるし、寝巻きを着替えるのも面倒で何が起きたのかの確認はしていないが、とにかく落ち着いて眠れなかったのだ、という背景を説明しよう。

07 | 仕事中に関係ないWebページを見ているのを上司に見つかった

上司が背後からひっそりと仕事の進捗を確認している——、そんなときに限ってプライバシーフィルタもつけずに、つい気になった記事をクリックしたタイミングだったりする。このとき、あまりごちゃごちゃと説明してしまうと、「いつもサボっているのではないか」と、かえって疑われる可能性もあるため、簡潔に伝えて仕事に戻ろう。すぐに隠したくなる気持ちもわかるが、あわててページを閉じることはせず、堂々とした態度で対応すること。

言い訳 01 〉 回線の調子が悪かったので、接続テストをしていました

業務内容や表示されているページに関係なく、汎用的に使える言い訳である。回線の確認をするために適当なページを表示していただけであり、表示されている内容については特に見ていないという雰囲気を出すのがコツだ。

言い訳 02 〉 これ、最近流行っているらしいですね。どんなものか調べておこうと思って

一見して業務と全く関係のないようにも思えるページではあるが、包括的な情報収集の一環として閲覧していたと思わせることが目的となる。知見を広げるため、または新たなビジネスにつながるきっかけを探しているという印象を与えて正当化していこう。なお上司から「あとで教えて」と言われないよう、内容はくどくどと話さないこと。

 ワンポイントアドバイス ‖ 偏った内容でなければ趣味系のページを見ていた場合にも有効。

言い訳 03 〉 資料に絵を入れたほうが伝わると思って、ちょうどいいのを探していました

見ただけで内容が伝わる資料を作るためには、わかりやすい文章も必要だが、イラストを活用するのも効果的だ。しかし誰しもがイラストを短時間で描けるわけではなく、資料作成だけにいつまでも時間を割くこともできない。このため、イメージに合うわかりやすいものを探して、効率的に資料を作成している途中であったという体にする。

外出中に
サボっているところを
見つかった

外出先でサボっているところを見つかるというのもなかなかないことなのだが、嫌な偶然ほどなぜか起こりやすい。どのようにサボっていたのかにもよるけれども、基本的には「仕事のためにここにいる」というスタンスを相手に理解してもらうことがコツ。昼間からパチスロや居酒屋にいるようなところを見られた場合はアウトだ。普段あまり外に出ないような職場の場合、開放的な気持ちになるのも理解できるが、言い訳でフォローできる範囲のサボりに留めておこう。

言い訳 01 > ここを待ち合わせ場所に指定された

カフェや飲食店など、ビジネスで利用しても不自然ではなさそうな場所で活用することができる。訪問先のオフィスに行かずにミーティングすることが多い仕事や、個人事業主を相手にするような場合に特に有効である。素直に「少し休憩していた」と言うと、外出するといつも休憩しているのかと思われる可能性もあるため、あまりそのように言わないほうがよいだろう。

言い訳 02 > PCを開けるところを探していた

急遽外出先で資料やメールを確認しなければならなくなったため、ある程度人の目をPCのディスプレイから遠ざけることができ、Wi-Fi環境のあるカフェに立ち寄ったという設定である。カラオケや漫画喫茶から出るところを見つかった場合は、オンラインで事前打ち合わせが必要だったと言うこともできる。

ワンポイントアドバイス ‖ 後者の場合は「テレワークで使用する人が増えてきている」と追加説明をしてもよい。

言い訳 03 > 取引先で話題になっていたので体験しておきたかった

使い所が少々限定されるが、これから向かう取引先の商品が置いてある、先方との話のなかで話題にのぼっていたため確認をしたかったなど、あくまでビジネスに関連する立ち寄りであることを伝えよう。なお、自分を見つけた相手もおそらくサボりのため、なぜそこにいたのかなどを追及してはいけない。

言い訳で使えるツール集

ここでは、言い訳をサポートしてくれるツールを紹介する。汎用的に活用でき、使えるシーンが多いものを集めたので、適宜組み合わせてみてほしい。

① AIチャット

　最近はChatGPTやBing AIなど、高度な回答をしてくれるものが多数ある。「会議があることを忘れて帰ってしまい、次の日に気がついたときの言い訳を教えて」といった形で、**トラブルの内容や現在置かれている状況について具体的に説明し、質問形式の文にするとしっかりとした回答が得られやすい。**

② ミントタブレット

　ケースから出すところさえ見られなければどう見ても薬にしか見えない。仮病で休んだ次の日や、体調不良を理由に帰りたい場合などに、あたかも処方してもらった薬であるかのように人前で飲むといい。体調がよくないことを周囲にアピールすることができる。**小瓶やピルケースに移し替えておくと、さらに効果は増す。**

③ マスク

　無理に咳き込んだりする必要はなく、おもむろにつけて出社し、いつもより少し寡黙になるだけでいい。周囲に「風邪なのかな？」と思わせることができれば、その後に早退や休みを申請してもズル休みを疑われる可能性は少ない。上述のタブレットと組み合わせて使用すれば、説得力はさらに上がる。

④ 指輪

　職場で異性からの余計なアプローチを避けたい場合、誕生日やクリスマスなどのイベント後に右手、もしくは左手の薬指につけるだけで、さり気なく「パートナーからもらった感」をアピールできる。プレゼントであるように見せかけるため、**安くてもいいから新品でシンプルなデザインのものを用意するのがよい**だろう。

⑤ 時間指定で電話がかかってくるアプリ

　会議や飲み会など、面倒な集まりを中座したい場合に活用するのがよい。あらかじめ時間をセットしておくことで、あたかも緊急の電話がかかってきた風に装うことができる。アラームなどでも代用できなくはないが、**アプリによっては着信画面を模した表示がされるものもあるため、より真実味を持たせられる。**

残業になりそうな仕事を頼まれた

　今日中に終わらせておかなければならない仕事は一通り完了し、あとは定時になるのを待つのみ。あまり早く帰れていなかったり、週末であったりすれば待ち遠しさも格別である。そんなときに獲物を探すような目でオフィスを見渡す上司、目が合ってしまったらおしまいだ。軽い気持ちで仕事の依頼をしてくるが、こちらはそうはいかない。これから待ちに待ったプライベートタイムなのだから。

言い訳 01 > ○時から外せない用事があるので、一部でよければ引き受けます

完全に拒否するのではなく「一部」と協力的な姿勢を見せつつ、決まった時間に帰ることを主張する言い方である。できる限りは協力したいという気持ちを見せられるため、「今日は仕方ないか」と相手に思わせることができる。都合よく作業が分担（分割）できないような場合は、全面的に回避できる可能性もある。

 ワンポイントアドバイス ‖ 本当に一部を任されてしまった場合は、着手はするが後日納品となる旨について了承を得ておこう。

言い訳 02 > 最近は家でも仕事をしていてあまり眠れていなくて…

今引き受けている仕事だけでもかなりの負荷となっており、これ以上は本当に体を壊してしまうため、できれば引き受けたくない、という人情に訴えかける手法である。裏には「今日は急ぎの案件がないため帰って休みたい」という意味があるため、その後、街でハメを外している姿などを見られないように。

言い訳 03 > 魚の目が足にできていて、ひどくなってきたから病院（皮膚科）に行きたい

魚の目の治療といっても、どのくらい時間がかかるのかもわからないし、細かい症状を聞くのもためらわれるうえ、聞いてどうするのかということもある。つまり大抵の人にとって「深刻度がよくわからない病気」なのだ。だからこそ、あまり深く追及されずに「そんなものなのかな」と受け入れられやすい。

会議に
遅刻しそう／してしまった

　なにかにつけて会議が多い社会人。それが有意義なものか否か
は関係なく、出席することを強要される。雑談にも近いような
ちょっとしたディスカッションへの参加を求められることもあ
り、数が増えればスケジュールの調整と管理だけでも大変にな
る。そういったことが重なれば、結果として会議の開始時間に間
に合わないといった状況も訪れる。その際の呼び出し電話への返
答や、遅れて会議室に到着した際に使える言い訳を紹介する。

言い訳 01 > あれ、今日でしたっけ? その会議

　時間ではなく、日付そのものを勘違いしていたことを伝える。特に会議が連日立て込んでいるような状況であれば、なおさら疑われずに済む。呼び出しを受けて初めて気がついたという状況を装うため、こちらから問い合わせたり、会議室に向かったりせずに自席で作業を続ける強い心も必要になるだろう。

言い訳 02 > 時間が変わったと聞きましたが……

　実際にそう聞いていたかは問題ではない。すでに開始時刻を過ぎてしまったとは思わなかった、と困惑した表情で伝えよう。なんなら「時間が変わったなら連絡してほしい」くらいのことを言ってもいい。なお、少人数やある程度面識があるメンバーの会議では、犯人探しが始まってしまう可能性もあるので注意しよう。

言い訳 03 > いっそ遅刻するくらいなら会議を欠席（行動）

　5分遅刻してしまったために、その後雰囲気が悪いまま会議を延々と続けなければならない…、そんな辛い状況になるくらいならいっそ会議そのものを大胆に欠席してしまうというのも手である。その後の言い訳はシンプルに、トラブルが起きていたとか、会議よりも重要な緊急案件に対応していた、などで構わない。過ぎたことにいつまでもこだわっていても仕方ない。

 ワンポイント アドバイス ‖ 自分が主催した会議では、参加者を待たせるだけなのでこの言い訳の使用を控える。

11 | 会議を忘れていた

　前項のシチュエーションと近い状況ではあるが、こちらは会議そのものを完全に忘れてしまっていたという場合だ。仕事に追われていたりすると、優先度の低い会議はついつい頭のスミに追いやられてしまう。在宅勤務が普及した昨今では、しっかりスケジュール管理をしていなければ、会議が始まったことすら気がつかなかったということもありうる。なお、出入りがわかりにくいオンライン会議では、そっと途中参加して最初からいた風を装うのも手である。

言い訳 01 > 作業に没頭していた

　途中で会議が始まっていることに気がついた、もしくはすでに終わってしまっていた場合の両方のシチュエーションで使うことができる。遅れて途中から参加してもいいが、いっそ呼び出しがかかるまで待つことでより信憑性が増す。ダメ押しで終了後にフォローの謝罪メールもしておこう。

言い訳 02 > キャンセルの連絡、していませんでしたっけ?

　重要な会議ならば難しいかもしれないが、それほどでもなくリスケが可能な会議であれば「キャンセルしたはず」と言い切ってしまおう。その後、送信メールをチェックする素振りなどを織り交ぜ、連絡を忘れていたと伝える。「会議を欠席したことではなく、連絡を忘れていたことに問題があった」と問題をすり替えることにより、失敗についても多少うやむやにすることができる。

 ワンポイントアドバイス | 「優先される案件の会議が同じ時間に入りそうだった」など、なぜ会議をキャンセルしたかの理由もセットで用意しておこう。

言い訳 03 > 時間を勘違いしていた(オンラインなら遅れてアクセス、対面なら実際の会議室に行く)

　なぜそう勘違いしたのかわからないが、もっと後の時間だと思い込んでいた。呼ばれた際には「時間変わりましたか?」と軽く確認をとる素振りを見せてもいい。実際に会議室に出向いてみたり、オンライン会議に入るなど、あたかもこれから会議を行うつもりだったことを演出しておくと説得力が増す。

重大な会議の途中で
トイレに行きたくなった

　しばらく我慢しなければならない状況であるほど、なぜかトイレに行きたくなる。映画や結婚式、そして重大な会議の最中にも尿意は突然やってくる。あと少しで終わるのであれば、なんとか耐え忍ぶこともできるかもしれないが、始まったばかりで途中休憩もなさそうだ。「トイレに行きたい」などと言い出せる雰囲気でもなく、それが尿意をより後押しする…。ここではそういったときの言い訳を紹介しているが、事態そのものを回避するためにも会議前のコーヒーは程々にしておこう。

言い訳 01 > 電話がかかってきた風に スマホをチラ見して部屋を出る（行動）

特に余計なことは言わなくていい。「えっ今？」という感じで急ぎの電話が入った風にスマホを見て、若干バツが悪そうに会議室をあとにしよう。このとき通話もしていないのに、下手にスマホを耳に当てるなどすると変にボロが出る。用を足してスッキリしたあとは、下の**言い訳02**をセットで活用してみてもいい。

 ワンポイント アドバイス ‖ メールやメッセージを見て、 焦った表情で緊急事態を装っても可。

言い訳 02 > アポなしで来客がありました

こちらは会議室を出て戻ったときの言い訳だ。「近くに来た際は気軽に立ち寄ってください」などと取引先に言ったものの、アポなしで来るとは思っていなかった。取次から連絡が来て対応はしたが、先方もあいさつ程度に顔を見せに来たようで早々に帰っていった、という筋書きである。

言い訳 03 > 今すぐ打ち合わせに来てほしいと 言われたけど断りました

こちらも会議中に急遽連絡が来たという状況である。スマホを複数回確認し、何度か電話やメールが来ている風を装うと、仕方なく出たという感じを演出することができる。必要な情報を伝えるのに時間がかかる場合もあるので、ゆっくり用を足しても安心だ。なお、トイレから戻ったあとは「会議とは関係ない案件だった」ということをさらっと一言で説明しよう。

13 | 会議中のあくびを指摘された

　寝不足だったのか、会議の内容がつまらないのか、お昼を食べすぎたのか、理由は様々だがとにかく眠い。眠気をなんとかこらえていたのに、一瞬の気の緩みから大きなあくびをしてしまい、タイミング悪く上司に見つかった。いや、その前から眠そうにしているのをマークされていたのかもしれない。しかし今はそんなことは問題ではない。（上司にとっては）大事な会議の最中に何事だ、と詰め寄られているのである。

言い訳 01 > 口内炎が気になって もぞもぞしていた

あくびに見えたのかもしれないが、そうではない。少々難儀なところに口内炎ができてしまい、口の中で舌を動かしてその状態を確認しようとしていただけである。会議に集中できていないと言われればそれまでだが、口内炎が気になるのも仕方ない。相手も「お大事に」としか返せないだろう。

言い訳 02 > この部屋酸素少なくなってないですか？換気しましょう

会議室がいわゆる軽い酸欠状態になっていることを指摘する。室内換気のためドアを開けたまま会議を行う場合もあるが、一般的にはドアを閉めて行う場合がほとんどであろう。酸欠になると脳への酸素供給量が減り眠気を催すので、特に長時間続くような会議ではこの言い訳は効果的であり、休憩のきっかけとなることもある。

言い訳 03 > 朝早くて

「夜更かし」の印象は悪いが、一般的に「早起き」のイメージはよい。早起きの目的はなんでもよい。軽くランニングをしてきたでも、語学の勉強でも、体調管理やスキルアップに関連することであれば、あまり咎められもしないだろう。「もっと遅くまで寝ていなさい」と言われることはそうそうないはずだ。

ワンポイントアドバイス　｜｜　子どもがいる場合は、保育園の送り迎えなども理由に使いやすい。

遅い時間帯の 会議に出たくない

　会議を頻繁に行う仕事だと、参加者のスケジュール調整が難しく、遅い時間に設定されがちである。しかしながら、本来仕事のない夕方以降のオフの時間を長く取りたい、と考えるのは至極当然のこと。できれば翌日以降の昼間の時間帯で再設定をしたいところだが、参加者が多いと全員に予定を再調整してもらうのは忍びない…。ここではおもに突発的に設定された会議を回避する言い訳について紹介する。

言い訳 01 > 傘を忘れたので 雨が降らないうちに帰ります

空が曇ってきた、もしくは天気予報で雨が予想されているような状況に限定される言い訳である。会社に予備の傘を置いていないため、帰路の途中でずぶ濡れになってしまうことを回避したいと伝えよう。降ってきたら途中で傘を買えばいいのでは、と思われるかもしれないが、なかなか人には言いにくい。

 ワンポイント アドバイス ‖ 傘を貸すと言ってくる人がいた場合、壊してしまっては申し訳ないと丁重に断ろう。

言い訳 02 > 何回か再配達に来てもらっているので、そろそろ受け取らなくてはいけなくて…

何度も届けに来てもらっているが受け取れておらず、流石にこれ以上は再配達の依頼をするのに気が引けるというところまで来てしまっているという言い訳である。特に残業や突発的な仕事が続いているような場合は使いやすい。

言い訳 03 > こっそり買った子どもの誕生日プレゼントを店舗で受け取らなくてはならない

子どもがいない場合は、恋人や親戚の子どもにしてもOK。オンラインで注文することもできるが、誕生日当日に配達遅延となるのは避けたい。確実に受け取るために当日の夜に店頭で取り置きをしてもらい、サプライズの準備は盤石なのである。ここまでしているのに会議を優先しろと言う人はそうそういないだろう。1年に1回のイベントであるため「致し方ない」と思わせることができる。

15 │ オンライン会議で顔出しを避けたい

　オンラインでの会議が一般的となったことで起きた新たな問題、それがカメラONの圧力である。会議室や自席から参加している場合、常にPCに向かって襟を正して向き合って話をしなければならず、つい写りが気になって会議に集中できなかったりもする。特に在宅では、せっかくラフな服装で仕事ができているのにカメラONのオンライン会議があるというだけで、出社するのと同程度に身だしなみを整えなければならない。シンプルに通信回線の調子が悪くカメラをつけると音声が途切れる、でもよいが、そのほかにも使えそうな言い訳を考えてみた。

言い訳 01 ＞ 怪我をした／顔が腫れている／虫刺されがひどくて

普段と異なる外見なので、あまり見せたくないというのをシンプルに伝える方法である。恥を忍んで状況を伝えているのに、それでもカメラ ON を強要されることはないだろう。なお、怪我については後日「大丈夫だった？」と聞かれる可能性もあるので軽い程度のものであることにしておこう。

 ワンポイントアドバイス ‖ 言い訳のことをすっかり忘れて「怪我ってなんですか？」などと返すのは言語道断。

言い訳 02 ＞ 部屋の蛍光灯が切れたため暗くてカメラに映らない

高感度カメラを使用していればいいのだが、オンライン会議のためにそこまでの用意をしていることはまれだ。カメラをつけても全体的に暗くなってしまい、黒い影が動いているだけで表情はおろか本人かどうかの判別も難しいので意味がないのである。ワンルームである、もしくはなんらかの都合で部屋移動ができないことを併せて伝える。

言い訳 03 ＞ 通信が不安定で携帯でテザリングをしている

なぜか会議がある今日に限って家の Wi-Fi が安定しない。スマホでテザリングしているが、それほど速い通信スピードで安定しているわけでもなく、画面共有をするとフリーズしてしまいそうである。会議そのものは音声さえ繋がっていれば問題ないため、カメラはオフにしていると伝えよう。

在宅勤務で
勤務中の不要な外出を
疑われている

　電話に出ない、PCの前にいるはずなのにチャットの反応が遅れたなど、レスポンスの悪さから仕事をサボっているのではないかと疑われている状況である。ほんの少しの時間で済む用事ではあるが、勤務終了時間まで待てないこともあるだろう。しかし、会社によっては在宅勤務であれ、勤務中の外出を原則認めないという制度があることも珍しくはない。疑いの目を向けられたときに、「それならば仕方がない」と相手に思わせるための言い訳を考えてみた。

言い訳 01 > 急な頭痛で 薬局に薬を買いに行っていた

　常に様々な症状に対応できる薬がストックされていることはそうそうないし、必要なければ薬など買わない人が多数であろう。出社していても、近くの薬局や病院に行くことくらいは許されると思うので、その延長である。頭痛や胃痛など、病院に行かずとも薬局でこと足りる程度の症状にしておくのがよい。

言い訳 02 > 引き落とし口座に残金がなく 銀行に行っていた

　カードやローンの引き落とし口座は、給料の振込先と同じ口座であるため大丈夫だろうと高を括っていたが、なんとなく確認したところ、次の引き落としには残金が足りないことに気づいてしまった。引き落とし日は明日…、急いでタンス預金を持って銀行が閉まる前に入金をしなければ面倒なことになってしまう。そういうタイミングであったから、中座もやむなしだったのだ。

ワンポイント アドバイス ‖ 口座に預金がない理由として、証券口座や外貨口座にお金を移したと補足してもよい。

言い訳 03 > 公共料金の支払いを しないといけなくて

　昨今は引き落としやカード払いが一般的だからこそ、未だに払込票で支払いをしているという状況が逆に信憑性を持たせる。ついついあと回しにして忘れてしまったが、今すぐ払わなければ止められてしまう。ライフラインや通信回線関連であればなおさら緊急度は高くなる。

在宅勤務で使える便利トピックス

ここでは言い訳で対処するだけでなく、ちょっとした工夫で在宅勤務が快適になる便利なトピックスを紹介する。

(1) 在宅時の不在防止マウステクニック

会社によっては、マウスの反応の有無を常に監視しているようなシステムもある。長時間マウスに反応がないと、「不在」状態になってしまうような仕組みだ。その場合、**自転車のLEDライトなどを点滅状態にしてマウスにあてておけば、常にマウスが反応し続け、在席状態を装うことができる。**

(2) スケジュールの不在管理

管理システムなどでスケジュールを見られている場合、予定のない時間帯に状態が「不在」のままでは不審に思われる。そんなときは**「資料作成」や「作業集中」と、入力しておこう。**離席していてもステータスが自動で切り替わることはないし、作業に集中するためこのように入力しているのだから、よほどのことがなければ声をかけられることもない。

(3) オンラインミーティングの背景

Webカメラで撮影した自分と背景が映った画像を用意しておく。これを背景に設定すれば席を外しても、短時間ならもちろん、大人数のミーティングならまずバレない。**切り替えのタイミングではあまり体を動かさないようにしたり、一瞬カメラをオフにするなどして、自然に差し替わるように心がけよう。**また、アプリによっては画像が左右反転する場合もあるため、撮影する際には気をつけること。

スマートスピーカーの誤動作

　サボり中、会社からの電話が突然かかってきて、つけっぱなしだった動画やゲームの音が聞こえてしまった。疑いの目を向けられたら**「スマートスピーカーの誤動作です」**と冷静に答えよう。その後にいったん席を外し、**「また誤動作を起こすと困るから電源を切ってきました」**と伝えると真実味が増す。

Bluetoothのイヤホンマイク

　リモート打ち合わせなどは、ノートPC内蔵のスピーカーとマイクを使う場合が多いだろう。しかし、在宅勤務の際はぜひBluetoothのイヤホンマイクを活用してほしい。**なにか別の作業をしていても通知音や着信音を聞くことができ、PCの前にいる必要がなくなる**からだ。③と組み合わせることでより自由度が出る。**周囲の余計な音を拾わないためにも、指向性マイクを搭載しているモデルがおすすめ。**

メールは等間隔で送る

　離席時間が長かったりすると、席に戻った直後にメールをまとめて送ってしまいがちであるが、**たとえ外出していてもメールは一定間隔で送ることを心がけよう。**「普段からサボっているのでは」などと、マークされないようにすることが大切だ。

業務報告は「検討」や「確認」で

　在宅勤務終業時に一日の業務内容を報告する際は**「検討」や「確認」を活用するとよい。**「資料作成」などと報告すれば、「できたところまで出して」と言われる可能性もあるが、「他社の事例を検討していた」や「集めた資料を確認していた」とすれば、**具体的にかかった作業時間がわかりにくく、なにかしらの成果物を提出する必要もない。**

あと回しにして
忘れていた業務について、
進捗を聞かれた

　面倒な仕事ほどあと回しにしてしまうのは人の性。さっとやってしまえばよいものを、なぜか締め切りギリギリになるまで本気を出せない。ほかの仕事に追われるうち、いつしか記憶のなかから完全に消えてしまった。期限間際か過ぎてから上司に「そういえばあの件どうなった？」などと軽く聞かれ、やっと思い出すのだ。どうもなっていない、なにもしていないのだから。あせっていることは表情に出さず、ひとまず切り抜けよう。とはいえ、全くやっていないことを帳消しにできるわけではないため、相手からの追及をある程度緩和することを主眼においた言い訳を紹介する。

言い訳 01 > 聞いていた期限はまだ先ですが…

　少々強気な姿勢を見せることにはなるが、相手側が期限を勘違いしていたと思わせる。自分はスケジュールを立てて作業をしているのであり、当初約束していた期限より前倒しを要求されても困る、という感じで対応する。上司は若干腑に落ちない感じにはなるかもしれないが、新たな期限を提案することで実質的な延長を勝ち取ることができる。

 ワンポイント アドバイス ‖ **新たな期限を設けたら、該当の仕事は 最優先で処理するよう心がける**

言い訳 02 > ○○と△△と□□をやっていて、 まだ未着手です

　複数のタスクを同時にこなしており、それぞれの優先度を考えて処理していたということを伝える。並行して実施している作業は具体的、かつ多く挙げられることが望ましい。そしてなるべく、進捗を聞いてきた上司から振られた仕事でないものを挙げるようにしよう。

言い訳 03 > △△も終わってないのですが、どちらを 先に仕上げたほうがいいでしょう?

　こちらは同じ上司から複数仕事を依頼されているような場合に有効である。あと回しにしていた仕事から注意をそらし、相手に優先順位をつけさせる方法だ。ただし、どの案件も優先度が高いような場合は、余計な残業指示を受けてしまう可能性もあるため、よく考えたうえで使うように。

資料に目を通しておらず、置きっぱなしにしていた

　小説や新聞・雑誌の記事に比べ、同じ活字でもどうして仕事の書類はなかなか読む気が起きないのだろうか。「事前に目を通しておいてほしい」と言われると、なぜかよりあと回しにしたくなる。次第に資料は机の端に追いやられ、その上に物が積み重なり、記憶から完全に消えてしまうのである。そういった背景がありつつ、いざその資料の内容について議論しよう／確認しようと言われたときに、面と向かって「読んでいません」と言える人間はよほどの豪傑だろう。

言い訳 01 > 読んだがよくわからなかった

　読んでいないわけではない、読んだがよくわからなかったのだ。前者は一方的に本人の責任だが、後者は資料の内容や作り方にもよる。読み込みが足りないと言われればそれまでだが、資料の確認程度でそこまで追及されることはないだろう。

 ワンポイント アドバイス ｜｜ 資料を渡されてからある程度時間が経っている場合は「読んだが記憶が曖昧」でもOK。

言い訳 02 > ファイルが壊れていた（データの場合）

　資料が多い場合などは、データの容量を抑えるために圧縮ファイルにしたり、印刷の手間を考えて電子メールで配布されることもある。このような場合、ファイルに不具合が生じることも珍しくなく、確認しようとしたがファイルが壊れていた、または文字化けしていたという言い訳である。その場で報告すればよかったものの、相手がその時不在でそのまま忘れてしまったのだ。

言い訳 03 > 最初のページが見つからなくて

　他の資料に紛れて、1ページ目だけ紛失したという状況である。「なくした」や「捨ててしまった」より、少々ましな印象になる。現在進行中で探しているということもセットでアピールしよう。のちほど「探していた1ページ目が見つかったため急ぎで読む」と伝え、巻き返しを図ること。

先方に確認したら
「前に言いましたよ／
メールしましたよ」と言われた

　回答期限を伝えているのに先方から連絡が来る気配がない。しびれを切らして「あの件どうなってますか？」と確認をしたところ、すでに伝えているとの回答が。電話／メールの文面からも伝わる、先方のあきれた雰囲気……。催促の口調が強いものだったりしたら、バツの悪さもよりいっそうである。そんなとき、自分の印象をそれ以上下げないためにどう返せばいいだろうか。

言い訳 01 > 詳細な部分の認識があっているか確認したいので、もう一度説明してほしい

電話や直接口頭で話を受けたような場合に使える言い訳である。回答をもらっていたことを忘れていたのではなく、そのときは手元にメモを取るものがなかった、もしくは取ったメモがあとで見返すとよくわからなかったことを伝えよう。お互いの認識が食い違っているような状況で仕事を進めるのはよくない。

言い訳 02 > 会社のシステムでウイルスメールと間違えられて自動削除されたみたいなので、もう一度送ってほしい

昨今ではウイルスやスパム広告が増えていることもあり、セキュリティの一環で怪しいメールは自動で削除されるような会社もあるだろう。しかし、どのような基準なのかを各社員レベルで把握していることはそうそうない。理由不明で削除され、手元に届かないことも十分に起こりうる。

ワンポイントアドバイス ‖ 最近セキュリティが強化されたようで、この手の問題が何件か起きていることを併せて伝えると信憑性が増す。

言い訳 03 > 会社のセキュリティの関係でメールが短期間で削除されてしまう。もう一度送ってほしい（ある程度時間が経ってしまっている場合）

昨今では様々な端末からシームレスにメールにアクセスできるよう設定している会社もある。便利ではあるものの、メールそのものはサーバに保存されておりセキュリティポリシーなどによって一定期間保存したら自動削除されてしまう場合もあるのだ。この言い訳を使用する場合、連絡から少なくとも1週間以上くらい経っている前提が必要。

「改めて連絡します」と伝えたが、その後の連絡を忘れていた

　その場では回答が難しい、上司に確認しないと自分だけでは判断できない、見積もりを作成する必要があるなど、いったん回答を保留にして別途連絡するという場面は日常的に発生するだろう。その1件のみであれば、忘れるということもないかもしれないが、案件が重なってくるとどうしても失敗は起きてしまう。長く間が空いてしまうと難しいが、2、3日程度であれば言い訳で多少カバーできる。特に商談が絡むような場合は、相手に与える印象も大切になるため、忘れていたわけではないことを強調しよう。

言い訳 01 > 仕事が片付いたのが遅かったので、遅い時間だと逆に失礼になるかと思って

今日は割り込みの案件が多く、なかなか自分の作業に集中できなかった。なんとか当日中に回答しようと頑張って作業を続けたものの、時刻はすでに終電ギリギリ。今から連絡しても先方は帰宅しているだろう。プライベートな時間に対応してもらうのも逆に迷惑になる。そんな気遣いから遅れてしまったのである。

 ワンポイント アドバイス ┃┃ 社内確認をする上司が帰宅してしまったとしてもよい。

言い訳 02 > 外出先で携帯の充電が切れてしまって／ Wi-Fi（電源）のある場所が見つからなかった

ベタではあるが、外出先での機器不備というのは理由として使いやすい。または資料を送ろうとしたところ、Wi-Fiスポットが見つからなかった、PCの電源が切れてしまったなどの軽微なトラブルが発生していたとしても有効だ。個人のスマホでテザリングを行うことは、セキュリティ上禁止されていると併せて伝えると説得力が増す。

言い訳 03 > 体調が急に悪くなって早退しました

体調不良と言われてしまうと、なかなかそれ以上は追及しづらい。急に帰らざるをえなかったとすると、一言連絡するのも大変だったのだろうと推測もできる。連絡がなかったことで重大な問題が発生したような場合でもなければ、心配されることはあっても責められることはないだろう。

上司／同僚と帰るタイミングがたまたま一緒になってしまったが、乗る電車は別にしたい

　SNSを巡回、動画の登録チャンネルをチェック、スマホゲームの日課を消化…などなど、退勤後の電車内の時間を有効に使いたいと考える人は多いと思う。オフィスを出たらすぐにイヤホンをつけて仕事モードはOFF、さて自分の時間に…と思ったら、同じ時間に退勤した上司もしくは同僚と目が合ってしまった。この人は確か帰る路線が同じだったはず。電車に乗る前に振り切りたい、でも避けているとも思われたくない！　そんなとき怪しまれずに状況を回避できる言い訳を紹介する。

言い訳 01 > トイレに行くのでここで失礼します

　この後の約束をしているわけでもないのに「じゃあ出てくるのを待っているよ」と言われることはそうそうないだろう。万が一追いついてしまったら意味がないので、早く帰宅したい気持ちをぐっと抑え、ゆっくり駅に向かおう。実際に駅などのトイレに入った場合は、同じ電車に乗らないよう10〜15分は待機する。

言い訳 02 > ATMでお金を下ろすのでここで失礼します

　ごく短時間で終わる作業のため待っていると言われかねないが、プライバシー的にお金を下ろすところはあまり見られたくないものである。そのあたりを察してくれなさそうな場合、コンビニのATMであれば「ついでに買い物も」と言ってある程度時間がかかることを重ねてアピールしてもよい。ここまでしても相手が「待つ」と言う場合は、なにか重大な相談事があるはずである。

言い訳 03 > タイムカードを押し忘れたので／メールを出し忘れたので会社に戻ります

　仕事のあとのことを考えて退勤手続きを忘れた、終業間際にバタバタしていて今日中に出さなければならないメールを出し忘れてしまったなど、いったん戻らなければいけない理由を思い出したことを伝えよう。詳細に話す必要はない。別れたあとは見えない距離までふらっとして、1、2本あとの電車に乗り込む。

 ワンポイントアドバイス ‖ 家の鍵、もしくは雨もようの日であれば傘を忘れたと言うこともできる。

22 | 出張の往復を 会社の人と一緒に 移動したくない

　こちらのシチュエーションでは、新幹線や飛行機などで出張先まで一緒に移動するような場面を想定している。当日は移動だけで出張先での実務はその翌日となると、車内／機内で宴会が始まってしまい、延々と昔話を聞かされホテルに着いたときにはぐったりということも考えられる。心身的疲労を最小限に抑えるためにも、移動中くらいはリラックスした環境を確保したい。

言い訳 01 > 遅刻するといけないので 一本前の新幹線に乗ります

アプリで簡単に検索できるようになったが、慣れない土地への長距離移動というものはやはり緊張する。駅の構造がどうなっているかわからない、路線が多く乗り間違えないか、出口を間違えて遠回りをしないかなど、不安要素は多い。遅刻をするくらいなら早めに到着してコーヒーでも一杯、と考えるのは自然だろう。

言い訳 02 > すでに別の時間のチケットを 予約してしまった

時間が具体的に決まっておらず、同行者から「何時に乗る？」と聞かれた場合に使いやすい。「○時くらいのですかね、そちらは？」といったんはぐらかすなどして、まずは相手の時間を聞き出そう。その後に別の時間で予約した体にする。理由は前述の通り遅刻を回避するためでもいいし、逆に直前で予定が詰まっていて、遅めの時間にしたということでも構わない。

 ワンポイント アドバイス ‖ 帰路の場合は、バタバタするのが嫌なので お土産を先に買うために 余裕を持った時間にしたということにしよう。

言い訳 03 > 電車の中で仕事／会議をするので

最近では座席でオンライン会議をすることができる新幹線の車両もあったりと、移動中のビジネスニーズに対応した列車も存在する。出張先での仕事を考えるとゆっくりしたいところだが、自分は移動中もスケジュールがぎっしり詰まっており、同行者の相手をしているヒマなどないのである。

ランチの誘いを断りたい

　高層ビルの上層階にオフィスを構え、開放感のあるレイアウトにフリーアドレスが採用された職場で働き、昼は財布を持って同僚とおしゃれなランチに——。絵に描いたような都心勤務スタイルだが、面倒がないわけではない。毎日似たようなメンバーで近隣の店をローテーション、となるとたまには一人で過ごしたいと思うこともあるだろう（加えて都心のおしゃれランチは値段もお高めだ）。かといって、面と向かって「行かない」というのもぎくしゃくしそうである。せめて週一くらいで一人ランチができたらいいのだが…。

言い訳 01 > 先に行ってて、あとから行く

　無論、行かない。いったん別行動にすることが重要なのだ。少し作業が残っているからやりきってしまいたい、ということを付け加えてもよい。友人関係よりも仕事を優先していると思われないよう、作業が思った以上に長引いた、割り込みが入ったため時間が遅くなってしまった、などのフォローも忘れないように。

言い訳 02 > 財布を家に忘れてきた

　電子マネーでの決済が可能な店も増えてきてはいるが、行こうとしている店が自分の使っているサービスに対応しているとは限らない。ランチ程度でお金を借りるのも気が引けるし、自分の支払いのために店を変えてもらうのも申し訳ない。「今日はコンビニでさっと済ませるから気にしないで〜」とさわやかに別れよう。

 ワンポイント
アドバイス ‖ その後にうっかり財布を出しているところを
見つかってしまったときは、カバンの奥に
あったため忘れてきたと思ったと伝えよう。

言い訳 03 > お昼の間に株の取引をしたい／
イベント・新商品の予約をしたい

　勤務中に私的な作業をするわけにはいかない。ましてや株の取引となると周囲の視線も少し気になる。イベントや新商品の予約の場合は、開始時間にすぐにアクセスしなくてはならない。すぐに終わらないかもしれないし、一緒に食べながらずっとスマホを注視し続けるのも申し訳ないという配慮を全面に出していこう。

　優先したい用事がある、連日忘年会・歓送迎会続きで疲れている、今月の小遣いが厳しいなど、やんわりと飲み会を断りたいときもあるだろう。今後呼ばれなくても構わないのであればきっぱりと断ってしまうのもいいが、全く誘われなくなってしまうのも寂しいものである。飲み会そのものには参加したいのだが、今日はどうしてもタイミングが悪い、次回は参加したいという意思表明も併せることで悪い印象を与えずに断りたい。

明日の朝早いので／今晩運転しないといけないので

行ってしまうとついつい飲みすぎて朝まで残ってしまう、または今晩運転をする予定なので飲むことができないなど、このあとの予定に影響があるために参加できないことを伝えよう。週末であれば「レジャーを翌朝から楽しむので、今晩中に移動するためにレンタカーを予約している」としてもよい。割と直前で誘われた場合に有効である。

言い訳
02 >

あとで予定確認します、とりあえずほかの人の都合優先で日にちを決めてください

日程がまだ決まっておらず、調整中の場合に有効。一度了承したあとにキャンセルすると心証が悪いので、いったん保留として日程が決まるのを待つ。日程確定後に「その日は先約が」と伝えよう。特に子どもがいるような場合は、家族間の調整が必要となることもあり、自身の都合ではない体としても断りやすい。

ワンポイントアドバイス ‖ 断る際に「別の日であれば」などと付け加えるのは控えよう。気を利かせて再設定される危険性がある。

言い訳
03 >

今日推しのライブ配信があるので

あとでアーカイブ配信が見られればよいのではない、ライブで観ることに意義があるのだ。「推し」とはそういう存在である。年配の人にはなかなか理解されないかもしれないが、実際に推しのことを思い浮かべながら熱っぽく伝えよう。常日頃から周囲に鼻息荒くアピールしているとなおよし。

25 | ビジネスシーンで LINEを交換したくない

　手軽な連絡手段として幅広い世代に普及しているLINE。ただ、友人はともかくビジネス上の付き合いで使用するとなると、連絡先を交換するのは抵抗がある。アイコンや登録名をあまり見られたくない内容にしている人もいると思う。かといって、このために登録内容を変更するのも色々面倒臭い。仕事用で会社から貸与されているスマホには、勝手にアプリをインストールできないだろうし、プライベートでスマホを複数持っているような人はそうそういないだろう。そんなとき、スマートに状況を切り抜ける言い訳を紹介する。

言い訳 01 > LINEが苦手であまり見ない／メールのほうがやりとりが早い

登録はしているが、通知が多すぎて見なくなってしまった。あるいは若干苦手意識があり全く使っていないので、「なにか連絡が必要であれば電話かメールにしてほしい」と伝える。相手は気軽に連絡を取りたいと思っているのかもしれないが、特段用事がなければ連絡する気はないというこちらのスタンスも伝わる。

言い訳 02 > スマホのバッテリーが切れている

交換したくないわけではない。スマホの電池が切れておりLINEの画面が表示できないのだ。IDで交換する方法もあるが、そのことを知っている人はまれである。まさか相手がモバイルバッテリーを持ち出し、これ使って充電してとまで言ってくることはないはずだ。

| ワンポイントアドバイス | 「電話番号で交換したい」と言われた場合は、迷惑メッセージ対策で設定をオフにしていると伝えよう。 |

言い訳 03 > 会社の規定で、個人のLINEを仕事で交換することは禁止されている

セキュリティや情報漏洩の観点から、個人所有の通信機器やPCなどを仕事で使用することを禁じられていることも少なくない。この場合、仕事の連絡先としては貸与されている携帯電話やメールに限定する必要があり、社の方針で私用の連絡先は交換できないのである。交換の申し出から若干の下心を感じるような場合も、この言い訳ならすっぱり断ることができる。

26 ドレスコードを間違えた

「特に指定はございません」。これほどまでに服装について悩ませる書き方はない。大抵の場合は、単に指定されていないだけで暗黙のドレスコードというものが存在する。いっそ就職活動のように適切な服装について解説してくれる説明会でもあればいいのだが、社会人になったあとは誰も教えてくれない。文章を真に受けて気の抜けた普段着で赴いた結果、周囲からけげんな視線を浴びてしまった…。そんな状況に陥ったときに使える言い訳を紹介する。

言い訳 01 > タイミング悪くシャツを全部クリーニングに出してしまった

　ある程度の枚数は持ち合わせているが、たまたま出すタイミングを間違えてまとめて全部クリーニングに出しており、スーツの下に合わせられるような服がないという状況である。Tシャツにジャケットというスタイルもできなくはなかったが、業種的にあっていないような気がしたため、普段着を着てきたという内容である。

言い訳 02 > ジャケットだけ／ズボンだけ汚れてしまいクリーニングに出していて、上下揃わなかった

　セットアップの上下どちらかを別の服に入れ替えてみたが、これが意外にも合わない…。それであればいっそのこと私服のほうが、と考えたのだ。普段の仕事ではスーツを着る機会が少なく、あまり点数を所有していない場合に使いやすい。

 ワンポイントアドバイス ‖ 上下揃わない理由として「お腹回りが太ってズボンが入らない」としてもよい。

言い訳 03 > ボタンが取れているのに気づいたが直す時間がなかった

　普段から裁縫に慣れていないと、ボタンをつけるだけでも一苦労である。針作業など小学校の家庭科の授業以来していないという人も少なくないだろう。位置がズレたり、糸がたるんでしまったりと、たった一個のボタンになかなかどうして苦労する。そんなことをしている間に家を出なければならない時間が刻々と迫ってきて、着るのを諦めたという状況である。

幹事なのに
お店の予約を忘れていた

　特に12月ともなると、週末は忘年会でどこもいっぱいになるため、人数が多い職場ではかなり前から店を予約する必要がある。場合によっては貸し切りで押さえることもあるだろう。そして今年は運悪く忘年会の幹事を拝命してしまい、大人数が入れる店探しから当日のタイムテーブル、挨拶の依頼などやることは多い。面倒臭さから先延ばしにしていたが、ようやく重い腰を上げて探し始めたところ、どこも満席で一向に見つかる気配がない。正直に話せば反感を買うだろうし、なんと言ったらいいだろうか…。

参加者全員の好みを考えたら、店を絞り込むことができなくなった

　皆の好みの料理やお酒の種類などを考慮したらどうにもまとまらなくなってしまい、そうこうしているうちに日が過ぎてしまったという状況である。いかに真剣に参加者のことを考えていたかが伝えるポイントであるため、噂話レベルでも参加者の好みに関する情報を盛り込んで説明するのがベター。

言い訳
02 >

かなり前から人数多めで店を押さえていたが、参加者が減ってしまいキャンセルせざるをえなく、代わりの店を探しているところだった

　特に大人数の職場において有効な言い訳である。貸し切りで予約する場合など、最低人数や最低金額などを定めている店は多い。このため、想定していたよりも人数が減って基準を割ってしまった、もしくは最低金額を頭割りすると少人数では割に合わないためキャンセルせざるをえなかった、ということを伝えよう。

言い訳
03 >

予約後、お得なクーポンを見つけて一度キャンセルしたら、再予約できなかった

　店の予約後、情報ページを眺めていたら、割引クーポンを見つけた。問い合わせたところ、クーポンを使う場合は予約時に伝える必要があり、変更はできないという。仕方なくいったんキャンセルし、再度予約しようとしたら、ほんの一瞬だったのにもかかわらず、他の人に押さえられてしまった。一生懸命だったことを伝えれば、同情して店探しを手伝ってくれる同僚が現れるかもしれない。

**ワンポイント
アドバイス** ‖ 幹事として少しでも金額を安くしようと
努力していたことを、さりげなくアピールしよう。

言い訳をスムーズに
するための仕込み

いざというときに言い訳を使うためにも、その信憑性を上げるための工夫を日ごろからしておくことが大切だ。また、トラブルを未然に防ぐ方法についても紹介する。

① ネットやアンテナショップでお土産チェック

アリバイ作りなどで「○○に行った」と言わなければならないとき、**お土産はその信憑性を高める重要なツールになる。**また、P92のようなシチュエーションも起こりうるため、**近場のアンテナショップでどの地域のお土産が購入できるか、大まかに把握しておこう。**加えて海外のお土産については、旅行会社運営のネットショップなどでも取り扱いがあるためチェックしておいて損はない。購入した際は日本語ラベルをはがしておくことを忘れないように。

② シークレットモードとショートカットキー

会社のPCで業務と関係のないページを見る場合は、**シークレットモード**（ブラウザによって機能名は異なる）を活用しよう。**ブラウザを閉じてしまえば、閲覧履歴や検索フォームに入力した情報は消去されるため、何を見ていたのかを知られることはない。**また、画面を急にのぞきこまれたときなどを考えて、「Windows キー＋D」で瞬間的にデスクトップを表示するなど、**ショートカットキーで素早く切り替えられる練習をしておこう。**

言いよどまないための訓練

　優れた言い訳であっても、ぎこちない演技では相手も納得しない。本書を熟読し、言い訳を頭に入れたあとは、それが自然に出てくるよう家で練習をしておくことをおすすめする。置かれているシチュエーションを思い浮かべて、感情を込めるのか押し殺した言い方がいいのかを考え、実際に発声してみることが大切だ。**鏡に向かってシミュレーションしながら確認するとよいだろう。**

 スマホ設定の見直し

　これは「言い訳するようなトラブルを未然に防ぐ」といった側面が強いが、写真の共有設定、ロック画面の表示設定などを見直しておこう。**特にメッセージアプリの通知表示は極力切っておいた方がいい。**写真には位置情報やタイムスタンプが記録されないようにしておく。また、PCなどスマホ以外のデバイスと連携しているアプリがある場合は、そちらの設定も確認しておこう。

姪や甥／外国の友人の存在をアピール

「かわいがっている姪や甥」は、実子と同じような存在として活用できる。子どもがいないにもかかわらず、いる体で言い訳をするのは難しいが、姪や甥であれば、その有無をいちいち確認されることは少ない。仕事やプライベートのスケジュール調整時、急な予定のキャンセルの理由などに、それよりも優先したい事柄として引き合いに出そう。また、**「普段なかなか会えない外国に住んでいる友人」**なども、似たようなかたちで言い訳の理由にできる。常日頃から「ときたま会っている」といったことを周囲に話して、存在を認知させておくとよい。

腰痛持ちであることを装う

　動きたくないときや重いものを持たされそうなときはもちろん、「季節の変わり目で悪化した」などと言って、通院のため予定をキャンセルしたり、早退の理由にすることもできる。**外見上の変化はなく、実際の状態は本人にしかわからないうえ、悩まされている人口が多いせいか言い訳としても受け入れられやすい。**普段から「腰の調子が」程度でいいので匂わせておくと効果的だ。なお「偏頭痛」も同じように活用できなくもないが、症状や程度が人によってかなり幅がある分、使い勝手がやや限定される。

第 2 章

日 常 生 活 編

待たせている友人を
さらに待たせることに
なってしまった

　すでに待ち合わせの時間を過ぎてしまっているのだが、到着にはもう少し時間がかかりそうだ。「コーヒー代は払うから近くのカフェで時間を潰して——」。せめてものお詫びにそんなことを言ったとしても、遅刻の理由は聞かれるはず。電車の遅延や事故による交通渋滞など、正当な理由があればいいが、寝坊や待ち合わせの予定をすっかり忘れてしまっていたなど、素直に言えない場合もある。

言い訳 01 > お会計でカードが使えなくてトラブっていた

待ち合わせの前に入ったお店のお会計をカードで支払おうとしたところ、なぜか使えず、現金の持ち合わせもなかったという状況だ。買い物でもよいが、飲食店のように代金後払いの店で足止めをくらったことにしておくのがベター。支払わなければそこを立ち去れないという制約があるからだ。

言い訳 02 > 電車／バスに酔ってしまい、少し休んでいた

普段なんということもないのだが、その日の運転手は急ブレーキに急発進。くわえて、混み合って換気の不十分な車内だったため酔ってしまった。なんとか次の駅で外に出て、今ようやく落ち着いてきて連絡することができたのだ。そもそもの連絡が遅れた理由にもできるため、交通機関を利用する場合はおすすめ。

言い訳 03 > 渡したいものがあって探していたのが、見つからないから今から向かう

自分が使ってみてよかったのでおすすめしたい、めでたいことがあったので贈り物をしたい、読んでほしい書籍があった…。理由はなんでもいいが渡したいものがあり、それをギリギリまで探していて遅れてしまったのだ。サプライズのプレゼントだったことにすれば、しつこく追及される可能性も下がる。釈明も兼ねて、次会うときに「渡したかったもの」を渡すようにしよう。

 ワンポイントアドバイス ‖ 渡したいものの内容を聞かれたら「楽しみにしておいて」とはぐらかす。

「その話、前も聞いた」と言われた

　面白いエピソードを何度も話しているうちに、誰に話したのかわからなくなり、結果として相手に同じ話をしてしまう。年齢を重ねるとよくあることだ。特にお酒の席で話した内容など、いちいち覚えていない。一度であれば相手も初めて聞く風を装ってくれるかもしれないが、複数回になると流石に「また？」と言われるだろう。指摘されたときのバツの悪さは、言い訳である程度緩和することができる。ただし、後輩に過去の武勇伝を披露するのは程々に。

言い訳 01 > 実は続きがあって…、前どこまで話したっけ?

今回話したいのはその後のエピソードなのである。連続ドラマやアニメでも冒頭に「前回までのあらすじ」が入るのと同様に、長いかもしれないが本筋までの前提も重要なのだ。「その後のエピソード」が特にないのであれば、素直に「全部話してたのか」と認めるか、「その後の部分は大した話じゃなかった」と切り上げよう。

言い訳 02 > あれ、そうだっけ? 最近すぐ忘れちゃって、なにか記憶力がよくなる方法知らない?

色々な場所で話題にしており、誰に話したかまではチェックしていなかった。さっと話を切り上げ、すかさず「記憶力を回復させる方法知らない?」とこちらから話題を切り替えてしまおう。「名前を思い出せない有名人がいる」「最近こんな忘れ物をした」など、具体例を出すとスムーズに移行しやすい。

言い訳 03 > つい話したくなっちゃうエピソードだからもう一度聞いてよ

こちらは強引に押しきる手法である。相手からすると迷惑な話ではあるのだが、愛嬌たっぷりにこう言って笑顔を誘うことにより、「仕方ない、聞いてやるか」の姿勢に持ち込めればこちらのものだ。ただし、その後はなるべくコンパクトに話をまとめるか、いつも以上に内容を面白くさせることを心がけること。

 ワンポイントアドバイス ‖ 仕事に関する話であれば「重要な過去の教訓としてくり返し伝えている」としてもよい。

おすすめされたものに
興味が持てずスルーしていたら、
後日「どうだった?」と聞かれた

　気に入ったコンテンツや推しが出ている作品などは、周囲にもすすめて語り合いたい、感動を共有したいと思う人は多い。ただすすめられるこちら側からすれば、全く共感できなかったり、余計な時間を割きたくないと面倒臭く感じることもあるだろう。感想を求められても、全く見ていない／読んでいないなんてこともしばしばである。相手の熱が下がるのを待ってウヤムヤにしたいところだが、まずはこの場を乗りきらなければならない。

01 > 全然売っておらず、まだ買えてない

大人気、もしくは逆のマニアックなコンテンツをおすすめされた時に使える。小説やコミックであれば、「やはり紙で楽しみたい」と言おう。電子書籍はスマホの小さな画面では目が疲れるし味気ないのである。映像コンテンツだった場合は、「サブスクは契約してないため、レンタルか購入する必要がある」と伝えよう。

ワンポイント　アドバイス ‖ ややマニアックな映画なら「どこで上映されているの?」と確認して日にちを稼ぐのも手だ。

言い訳 02 > 買ったけど家族に取られて返してもらってない

買いはしたのだが、見ようと思ったときには家族がドハマリ。自室に持ち込まれてしまい、なかなか返してもらえない。もう一個買うのももったいないし、とりあえず熱が冷めるのを待つしかないようだ。新たな信者を増やせたと、相手も多少満足してくれるかもしれない。

言い訳 03 > AIチャットに要約／感想を書いてもらう（行動）

感想を話すだけであれば、手っ取り早くAIチャットを活用するのも手だ。近年のAIはめまぐるしいスピードで進化を続けており、うまく条件を入力すればしっかりとした感想文を書いてくれる。ただしAIによる感想を詳細に述べた結果、盛り上がってさらに突っ込んだ話をされる可能性もあるので、伝える内容はあくまで淡白に。

予定をダブルブッキングしていることにあとから気がついた

　相手からの申し出に対して、多分大丈夫だろうとスケジュールを確認せずに二つ返事でOKと回答。だが、日程が近くなって改めて確認してみると、同日に別の予定が入っていることがわかった。思い返せばこちらの予定はかなり前から約束しており、今になってキャンセルするのも感じが悪い。悩んだ末、片方の予定をキャンセルすることに決めたが、どのようにすれば角を立てないで断ることができるだろうか。

言い訳 01 > 車の調子が悪くて、急遽点検に出さないといけなくなった

車を所有している前提ではあるが、事態の緊急性が伝わりやすい。近々車移動の予定があり、急いで修理をしなければならないから、予定をキャンセルせざるをえないという状況だ。修理会社に無理を言ってお願いしているので、引取などもあって時間が読めないということも併せて伝えよう。

言い訳 02 > 急に田舎から家族が来る

詳細は伝えられておらず不明なのだが、「とにかくそちらで話がしたい、今から行く」と電話が。焦っているようにも聞こえたので、なにか重大な問題が起きたのかもしれない。具体的な内容を聞くまで気持ちが落ち着かず、正直なところ、予定中も上の空になってしまいそうだと端的に伝えよう。家族の緊急事態となれば、相手も怒りはしないはずだ。

 ワンポイントアドバイス ‖ 必要以上に心配させないためにも、後日「結果的に大したことではなかった」と伝えよう。

言い訳 03 > 先約の予定の日を1カ月間違えていた

紙の手帳となるとなかなかないかもしれないが、スマホのアプリで予定を管理しているような場合はついスライドしすぎたことで、翌月に間違えて入力してしまうこともあるだろう。あくまで自分のミスではあるのだが、「先約だから優先されるのも仕方ない」と思わせることができる。

32 想定以上に高かったので購入をやめたい

　少し背伸びして高級ブランド店に入店。値札を見ずに商品をレジに持っていったら、自分が想像するよりもゼロが一つ多かった。確かに洗練されたデザインだし、生地の肌触りもいい。だからといって、普段身につけているものの何倍もするとは思いもよらなかった。ブランドのショッパーを持って、さっそうと街を歩く自分を想像していたが、実現は難しそうである。これ以上あれこれ逡巡していても、ほかの客や店員に高くて日和っていると思われそうだ、なんとかしなくては。

言い訳 01 > サイズを間違えていました

　何とはなしに手にとった商品が気に入ったので、レジに持ってきた。しかし、レジでタグを見てみると、普段着ているよりも一回り小さいサイズだったようである。確認せずに持ってきたのは悪いが、着られないものを買っても仕方がない。元の場所に戻してくることを伝えて立ち去ろう。

ワンポイントアドバイス ‖ レジで別のサイズを用意すると言われた場合は、「棚に戻すついでに他の商品をもう少し見て回りたい」とやんわり断ろう。

言い訳 02 > ○○（店で対応していない支払いサービス）って使えますか？

　いったん深呼吸をして冷静にレジ横にある対応している支払いサービスを確認し、あえて記載がないものを選んで、「○○使えますか？」と聞く。もちろん否定の言葉が返ってくるので、現金の手持ちがないことを伝えてその場をあとにしよう。

言い訳 03 > スマホに来たメッセージに慌てた素振りで、「すいません」とだけ言って立ち去る（行動）

　こちらはそれほど多くのことを伝える必要はない。演技力がものをいう。台本のセリフはただ一つ「すいません」だけだ。スマホを確認し、なにか緊急事態があった風を装って、申し訳なさそうに会釈でもしながら立ち去ろう。買い物どころではなくすぐに行かなければならない、この場で悠長にしている場合ではないという感じを演技で伝える。過度に焦った感じにせず、淡々としたほうが現実味が出る。

33 | 店員と間違えて客に声をかけてしまった

　誰しも一度くらいはあるだろう。店員だと思って「すいません」と声をかけたらただの客で、気まずい雰囲気になってしまったことが。その人が店の制服っぽい服装だったり、なんとなく「店員っぽいオーラ」を出している場合に起こりうる。普段着、もしくはそれに近いコーディネートで接客するような店は、なおさらわかりにくい。正面から見ればIDカードなどで判別できることもあるが、そんなところまでチェックする人はまれである。

インスタで人気の○○さんですか？
似てるから声かけちゃいました

「○○さん」をテレビやCMなどでよく見かける有名人に設定すると、懐疑的な視線を投げかけられるかもしれない。しかし、インスタなどのSNSや動画配信で情報発信している人となると、誰もが知っているというわけではない。相手も「一部の界隈では有名なのかな？」程度にしか思わないだろう。もちろん「○○さん」が実在する必要はなく、適当に思いついた名前でも構わない。「違います」と言ってくれればいいのだから。

言い訳
02 > **それ、このお店の商品ですか？**

　相手の着ている服やアイテムが気に入ってしまい、どうしても売っている場所が知りたい。「もしかしたら今いる店の商品かもしれない」と、気になってつい声をかけてしまったのだ。ただ、ファストファッションの店などでこの言い訳を使用すると、失礼だと思われる危険性もあるので、使いどころは慎重に。

言い訳
03 > **前にある商品を見てもいいですか？**

　相手が棚の前で商品を見ているような場合に有効。手にとって見たいのだが、あいにく人がいて届かない。しかし、強引に割って入るのも失礼である。申し訳ないが、少しスペースを空けてほしい、という申し出をしたという状況を装う。

 ワンポイント
アドバイス ‖ 試着室の前や狭い通路などであれば、
「ちょっと通してください」と言ってもいい。

　慣れない車の運転は不安、複数人が乗っていると緊張してしまうなどの理由から、長距離移動の際は極力運転をしたくないと考える人は多いだろう。変に気を張って運転すると逆に危ないこともある。しかし一般的には、休憩ポイントごとなどで運転を交代するだろうし、自分だけ運転しないのもひんしゅくを買いそうだ。そんなときに使える言い訳を紹介する。

言い訳 01 > 直前に財布を整理して免許証を入れ忘れた

　レシートで財布がかさばってきたから、ついでにポイントカードの整理も一緒にやってしまおう。結局カード類を全部出して種類ごとに分け、クレジットカードや銀行カードもまとめて…。前日にそんなことをやっていたら、免許証を入れるのを忘れてしまったようだ。物理的に運転できないわけではないが、免許証不携帯はやめておいたほうがいいだろう。

 ワンポイントアドバイス ‖ 財布を出した際にレシートや免許証が見えてしまわないように注意。

言い訳 02 > 前日眠れず寝不足で、運転すると危ない

　旅行が楽しみだったので気持ちが高ぶってしまった、もしくは久しぶりの運転を考えると緊張して眠れなくなってしまった、でもいい。とにかく、このまま睡眠不足で運転すると危ないので、できれば誰かに代わってほしいと伝えよう。ただし、助手席で本当に寝落ちするようなことだけは避ける。

言い訳 03 > うっかりアルコール入りのお菓子(食品)を食べた

　途中、パーキングエリアで食べたお菓子がアルコール入りだったようで、口に含んでから気がついた。最近アルコールチェッカーを使う機会があって、自分はほんの少し摂取しただけでも反応が出てしまう体質であることがわかったので、運転は控えたいと伝える。

35 複数人での旅行の最中、一人だけ別行動をしたい

　仲のいい4人組で出かけた旅行。あらかじめ大まかな旅行プランは決まっていたものの、どうしても立ち寄りたい場所がある。すぐ近くまで来ているのにスルーするのはもったいない。かといって、自分一人が興味のある場所にみんなを付き合わせるのは迷惑だろう。ここは少しの間別行動で単身用事を済ませ、再度合流するほうが現実的だ。自分勝手な人だと思われないように、それなりの理由を付け加える必要がある。

言い訳 01 ＞ むかしの友達に会ってくる

　近くにむかし仲のよかった友人が住んでおり、なかなか会っていなかったのだが、ちょうど時間が空いているということでわずかな時間ではあるが会って話したい。頻繁に連絡を取り合っているよりも、年に数回やり取りをする程度で細く長く繋がっている、という体にしたほうが信憑性が増す。

言い訳 02 ＞ 買ってきてほしいと言われたものを買いに（探しに）行かないといけない

　家族に旅行の話をした際に、ある店のお菓子を買ってきてほしいと言われた。地元では有名なのかわからないが通好みのお店らしく、ネット販売などもしていない。もしかしたら並ぶかもしれないので、巻き込むのも申し訳ないから終わったら合流すると伝えよう。家族以外にも、パートナーや先輩など、義理立てが必要と感じられる人が対象であれば誰にしてもいい。

言い訳 03 ＞ 立ち寄った場所に忘れものをしたかも

　2日目以降や複数の場所を訪れた場合に使える。見つからない持ち物があり、もしかしたら前に立ち寄った場所に置き忘れてしまったのかもしれない。見つかるかどうかわからないし、旅の行程を邪魔しても悪いから、自分ひとりで戻って探したい。「見つかり次第、合流する」と伝え、いったん別れよう。

 ワンポイントアドバイス ‖ 探し物はアクセサリーや大切な人にもらったハンカチなど、カバンの中に収まる小物類にしておこう。

36

旅行に行って
お土産を買い忘れた

　長期の連休が明けて出社すると、社内で複数人がお土産を配っていた。その様子を見て、冷や汗が流れる。自分も旅行に行ったにもかかわらず、お土産を買うのをすっかり忘れていたのだ。どこも混んでいるので家で休日を謳歌していたとでも言えればよかったのだが、連休前に「○○に行くんですよ！」と周囲に言ってしまっていた。もらうだけもらってお返しがないのも申し訳ないが、今は代わりに渡せるようなものもない。さて、どうやってこの場を乗りきろうか。

言い訳 01 > 荷物が多くて "今日は"持ってこなかった

　連休明けの初日は荷物も普段より多かったりするだろう。お土産はちゃんと買ったのだが、通勤カバンに入れようとしたところ思っていた以上に大きく今日は置いてきたのだ。この言い訳を使ったあとは、アンテナショップやECサイトで行った地域のお土産を調達し、2〜3日以内を目安に配るようにしよう。

言い訳 02 > 思ったより数が少なくて 人数分なかったので置いてきた

　土産物店などでお菓子を買う際は、人数分を正確に数えて買わないことが多いと思う。アバウトにビッグサイズのものを選ぶことがほとんどであろう。しかしそこに落とし穴があった。箱のサイズ的には十分のように見えたが、想定以上に中に入っている個数が少なかったため、全員に配ることができない。先着順で渡すのも不公平なので家に置いてきた、という事情を説明しよう。

 ワンポイント アドバイス ┃┃ 連休の前半で買って家に置いておいたら、家族のおやつに開けられてしまった、としてもよい。

言い訳 03 > 買ってきたが賞味期限が 思ったより短く、すでに切れていた

　個数以上に確認しないのが賞味期限であろう。普通の焼き菓子と思って購入したお菓子が、生クリームの入った期限が短いもので、出社日には期限切れになってしまった。そのことを知りながら配るわけにはいかないので、連休最終日に大量のお菓子を食べるハメになった、と自虐風のエピソードも付け加えて伝えよう。

37

LINE／SNSの DMの返信を忘れて 1週間が経過していた

　アプリをおもむろに立ち上げてみたところ、送信ボタンが押されておらずテキスト入力状態のまま止まっている、未送信メッセージを見つけてしまった。すっかり返信したと思っていたが、日付を見るとすでに受信から1週間が経過している。相手は不安になっているだろう。「通信エラーで送信されていなかった」と言うのも悪くはないが、そういった場合は電波状態が回復すると、自動で送信されるような仕組みになっていることがほとんどだ。ある程度時間が経ってしまっている場合は、すぐに返信できない状況であったことを伝えるほうが効果的だ。

言い訳 01 > スマホが壊れていた

　スマホを落として壊してしまい、ようやく修理から戻ってきた。1週間分のメッセージや通知などを順番に見ており、返信が遅れてしまったと伝えよう。ただし、壊れているはずの期間中にメッセージの相手に会っていたり、SNSを更新していたような場合には、発言に矛盾が生じてしまう。使い所には注意しよう。

 ワンポイントアドバイス ┃ 該当の相手に実際に会う際、スマホケースを替えておいて「ケースも壊れちゃってさ」などと付け加えると信憑性が増す。

言い訳 02 > 機種変や通信会社の乗り換えでデータ引き継ぎに失敗した

　技術の進化により、昔に比べて機種変にかかる手間もだいぶ軽減されてきた。それでも、すべてのアプリや登録内容が簡単に移行できるわけではなく、機種変をする前に準備手続きが必要な場合がある。これを忘れてしまうと復旧が一筋縄ではいかないのだ。注意点は上の言い訳と同様。

言い訳 03 > アプリを（誤って）消したことを忘れていた

　急にアプリが立ち上がらなくなって、いったん消した。もしくは、容量がないため、使わないアプリを整理していた際にうっかり消したなど、アプリを再ダウンロードすることはたまにある。外で行うと通信料がかかるので、家に帰ってWi-Fiを使おう…、そんな風に思ってあと回しにしていたら、すっかり忘れてしまったという筋書きだ。

適当に 話を合わせていたことが バレてしまった

　適当に話を合わせていたら相手は同志を見つけたと思ったのか、止まらなくなってしまった。相づちを打っていると「具体的には？」と聞かれ、一瞬フリーズ。「見ていない／知らない」とはっきり言わず、曖昧な感じで返事をしていたのが仇となってしまった。このまま沈黙を続けて「知ったかぶりをしている」と思われるのは避けたい。言い訳でいったんしのいだあとは、さらにボロが出る前に早めに話題を切り替えよう。

言い訳 01 > 見た／聞いたことがある気がするんだけど、思い出せなくて…

聞いたことがあるような話の気がして、「なんだったかなあ」と考えながら思い出そうと相づちを打っていたのだ。思い出すきっかけを話のなかから見つけられないかと聞いていたものの、モヤモヤは解消できず今に至るという状況である。ど忘れよりも、もう少し記憶が曖昧な状態であるという雰囲気が出せるとよい。

言い訳 02 > ○○があまり好きじゃない

○○に入るのはキャスティングやジャンルなど、内容に関するものであればなんでもいい。相手が話していたことからチョイスする。なんとなく知っていたが、自分の好みではなさそうだったため見ていない。中身について細かく語れないのだが、話を止めるよりはいいだろうと気を遣って相づちを打っていたのだ。

言い訳 03 > そこまで詳しくはない

知っている／知らないではなく、どの程度知っているかの知識の深さに注意を向けさせる。相手の知識量もわからなかったため、ちょっと話には乗ってみたが、予想外に深い話だった。あいにく聞きかじった程度の知識しか持ち合わせておらず、あまり詳しい話をされてもわからないという雰囲気を出す。それでも相手が話を続ける場合は、聞き専で問題ない。

 ワンポイントアドバイス ｜｜ どこまで知ってる？ などと聞かれたら「タイトルだけ。でも興味があったからどんなものなのか知りたくて話を聞いていた」と答える。

ずっと間違えて
名前を呼んでいた

　気がついたときのバツの悪さといったら…。呼ばれたほうもすぐに言ってくれればいいものの、改めて指摘しづらかったのか、気を遣ってなあなあにしていたようだ。くり返し間違えているため本人が業を煮やして言ってきたのか、人づてに聞いたのかはともかくとして、何かしらのフォローを入れる必要がある。くれぐれも「間違えやすい名前だね」などと開き直りはせず、相手の気持ちを汲んだ一言を入れつつ言い訳でフォローしよう。

別の人をイメージしており、ついその人の名前（○○）で呼んでしまっていた。同姓のキャラが濃い友人がおり、雰囲気／見た目にも共通するところがあったため「似てる！」と強く思い込んでしまったことが原因だ。どのような友人と間違えられたのか気になるところだと思うが、見た目のいい部分やポジティブな印象が共通していることを伝えれば、相手も悪い気はしないはず。

言い訳
02 > **実は体調が悪くて
はっきりと覚えられていなかった**

普通に見えていたかもしれないが、会った日はかなり体調が悪く、申し訳ないことに話した内容をあまり細かく思い出せない。それでも名前はきちんと覚えているつもりだったが、どうやら記憶違いだったようだ。「当日ちゃんとしたか覚えてないから…」と言って、改めてこちらから自己紹介をすることでより信憑性が増す。

響きや字面が似ていた場合などは「読み方間違えてた!?」

「長田（ながた／おさだ）」や「羽生（はにゅう／はぶ）」など、同じ漢字にもかかわらず全く異なる読み方であったり、「水田／永田」や「萩原／荻原」など、ぱっと見が似ている名前は多数存在する。実際に間違えていた読み方がこれに当てはまらなくとも、「学が足りなくてそう読んでしまった」と自分を下げて伝えることで、相手の溜飲を多少下げることができる。

40

美味しい店を発見したと思い 友人を連れていったが、 「ここチェーン店だよ」と指摘された

　ローカルチェーンであったり、それほど店舗を展開していない ような場合は意外と気がつかないかもしれない。もちろんチェー ン店であることが悪いわけではないが、友人はしらけた表情であ る。ここでムキになって反論しても空気が悪くなるだけなので、 ぐっとこらえてこのあとの食事を笑って一緒に食べられるよう な、空気を変える言い訳を紹介する。

言い訳 01 > ここは他店舗とは 一味違うので連れてきた

　もちろんほかにも店舗があることは知っている。何店か食べ比べをした結果、この店が一番美味しかった。極めて微妙な違いかもしれないが、今日はその差を伝えるために、ここに連れてきたのだ。運よく店舗ごとのスペシャルメニューが提供されていたり、本当に若干の味の差があったりしたらもうけものである。

 ワンポイント アドバイス ┃┃ 「このチェーン系列のファンである」と 付け加えると、店舗比較まで行うことも 不自然には感じられない。

言い訳 02 > どうりで安いわけだ、コスパ最強

　知らなかったことは素直に認め、ポジティブに考えよう。同じ系統のほかの店よりも圧倒的に安く、提供までの時間も極めて早い。しかもチェーンとは思わせないほど美味しい。三拍子揃った素晴らしい店じゃないか！　熱っぽく語って相手を言いくるめることに全力を注ごう。

言い訳 03 > この味がほかでも食べられるなんて

　チェーン店だということは、逆に考えれば様々な場所でこの味を楽しむことができるということだ。この際なので普段の活動圏内の展開状況や他店舗の評判など、自分より詳しそうな友人に質問しよう。必要以上に熱くならなくていいが、「この店が好きで、連れてきてくれたんだな」と相手に伝われば、決していやな気持ちにはならないはず。

満腹状態でさらに料理をすすめられたが断りたい

　友人／上司と来たレストラン。一通り食べ終えて、そろそろお開きと思っていたら、「最後におすすめの料理があるから食べよう」と追加の注文をしようとしている。どうやらデザートや小皿ではなく、かなりボリュームのある料理のようだ。すでにそこそこお腹も満たされており、ここから食べきるのはきつい。おすすめと言われているのに一口だけ食べて終わりとなると、気を悪くされてしまいそうだ。もう少し早くその料理を注文してくれれば、どう断ろうか悩む必要もなかったのに…。

言い訳 01 > アレルギーのある食品で食べられない

そば、ピーナッツ、牛乳、甲殻類などなど、アレルギーは人によって様々なので、どんな料理でも使える。すすめられた料理にアレルギーが起きる食品が使われている（○○類でも可）、または具体的な対象はわからないが、この手の料理を食べるといつも発疹などの症状が出るなどと伝えよう。

ワンポイントアドバイス これを使うとその相手の前では、対象の食品が食べられなくなるので、あまり口にしないものを挙げるのがよい。

言い訳 02 > 辛い（甘い）ものが苦手であまり食べられない

ちょっとスパイシーくらいの味付けであっても、苦手な人にとっては激辛に感じたり、甘いものを少し食べただけでも胸焼けしてしまうなど、辛い／甘いの度合いは人によって感じ方がまちまちである。食べられないことはないが、美味しく味わうことができないと伝えれば、無理にすすめてくることもないだろう。

言い訳 03 > 飲むとつい食べすぎてしまうので、意識してあまり食べないようにしている

お酒が入っているときに有効。飲むと満腹中枢がにぶり、普段より食事の量が増える傾向にあるため、最近は意識して控えるようにしているという体の言い訳だ。お酒自体も種類によってはそこそこカロリーがあるため、普段通りの食事をしたら確かに「カロリーの摂りすぎ」となってしまうのもうなずける。

カラオケで得意な曲を選曲したのにもかかわらず、歌えなかった

　繁忙期を無事乗りきり、今日は打ち上げ。二次会のカラオケは予想以上に盛り上がり、自分も負けじと十八番の歌を予約した。いつも歌っている得意な曲なんだとあえてハードルを上げ、いよいよ自分の番が回ってきた。ところが緊張からか、逆に気を抜きすぎたのか、出だしでつまずいてその後もグダグダ。「得意な曲じゃなかったの？」と周囲もけげんな顔である。なんともいたたまれない雰囲気だが、恥ずかしさから席を外す前に、一言事情を伝えて心を落ち着かせよう。

言い訳 01 > 会議でしゃべりすぎて喉を痛めた

　今日は会議が続いて一日中しゃべりっぱなし。なかには議論が白熱して声のトーンが上がる場面もあった。仕事が終わるころには疲れ果て、声も少しかすれてきていたと思う。いつもなら問題なく歌いきれるのだが、喉の状態があまりよくないときに無理に歌う曲ではなかったのかもしれない。

ワンポイントアドバイス ‖ 発声にはあまりよくないという説があるため、「ヨーグルトを直前に食べた」と付け加えてもいい（うんちくもセットで）。

言い訳 02 > いつも使っているカラオケ会社のものとアレンジが違う

　イントロが極端に短くなっていた、もしくは楽器の音が違うため普段聞いている曲とは異なるように聞こえ、どうにも調子がつかめなかった。カラオケ音源のクオリティは制作業者によってまちまちであり、時々とてもチープな出来のものもある。運悪くそういった曲を選んでしまった場合、動揺して入りそこねたり、自信のない歌い方になってしまったとしても納得である。

言い訳 03 > いつもとキーが違っていた

　無理に合わないキーで歌うよりも声の出しやすい高さに合わせるほうがうまく歌えるだろう。しかし、どの程度調整しているかは覚えていないし、キーを探りながら歌っていたがうまく音が取れずそのままズルズルと…といった具合だ。原曲キーだったとしても、普段は調整している旨を説明すれば問題ない。

知り合いの結婚式の
招待を断りたい

　ポストに普通の郵便物とは異なる、豪華な封筒に入った厚めの手紙が届いていた。そういえば知り合いから先日結婚すると連絡をもらっていたので、その招待状だろう。共通の友人は皆出席すると思うが、最近少し忙しく先の予定が読めないため、出席できるか微妙なところである。このまま返信はがきの欠席に○を書いて出すだけでは薄情な感じもするし、なにかいい言い方はないだろうか。もちろん祝う気持ちはあるのだが…。

言い訳 01 > 仕事の出張があって…

　普段の仕事なら休んで出席するところだが、会社の命運をかけた大きなプロジェクトに参加しており、重要な出張になりそうなのだ。なかなか自分一人の都合で決めることもできず、残念ではあるが出席できないことを伝えよう。

 ワンポイントアドバイス ┃ **普段から休日出勤が多かったり、土日が休みでなかったりすれば、より使いやすい。**

言い訳 02 > ほかの結婚式と被っている

　先約の、もしくは親族の結婚式と日程が同じだという、シンプルな言い訳。もう一方の結婚式は誰の結婚式なんだ、なんでこちらに出席してくれないんだ！　と追及されることはそうそうないだろう。親族や特別親しい友人でもなければ、こちらの予定など考慮せずに式場を予約するだろうし、先約となればそちらを優先するのが妥当なはず。

言い訳 03 > 子どもの行事があって…

　子どもがいる前提の言い訳。習いごとの発表会や行事など、子どもが一生懸命その日のために準備してきた晴れ舞台である。しっかりと一眼レフを構えビデオもセットして、盤石の態勢で臨みたいところだ。知り合いが近くに住んでいるわけでなければ、実際にそんなイベントがあるのかを知る由もない。

○○さんと△△さんが 付き合っていることを うっかりしゃべってしまった

　自分はとある事情があって知ったのだが、本人たちがオープンにしていないということは、秘密にしておきたいなんらかの理由があるのだろう。しかし、二人の関係をついうっかり人に話してしまった。このまま噂が広まって本人たちの耳に届いてしまうことはもちろん、「おしゃべり」のレッテルを貼られるのも避けたい。幸い確信的なことはしゃべっておらず、話の展開次第ではごまかせそうなので、なんとかこの場限りで食い止めよう。

言い訳 01 > そんな感じがする

　確信はない、なんとなく普段の様子からそんな予感がするのだ。しゃべっているときの雰囲気や距離感の近さなどから、付き合っていてもおかしくないのではと自分は思っている。あくまで想像を言っているのに過ぎず、本当に付き合っているかは知らないのである。

 ワンポイント アドバイス ‖ 「どう思う?」と付け加えると、なにか知っているわけではないということが強調できる

言い訳 02 > っていう噂を聞いたことがあるけど なにか知ってる?

　飲み会の席で近くの席の人がそんな感じの話をしているのを聞いてしまった、自分も別の友人から「あの二人ってどういう関係か知ってる?」と聞かれたことがあるなど、確証はないもののそんな噂話が周りで出ている。別にどうということはないのだが、自分もそれ以降気になっており、なにか知らないかと聞いてみたという流れで話を振る。

言い訳 03 > 昔ね、今はもう そういう関係じゃないみたいだけど

　ある程度話をしてしまったところで気がついた場合にも使うことができる。話したことは概ね事実ではあるが、過去の話であり今はそうではない、ということを伝えよう。あくまで昔の話であって、本人たちもあまり詮索されると困ると思うから他言無用で、といった感じで釘を刺しておくことも忘れずに。

幅広いシーンで使える言い訳

本書ではおもにシチュエーションごとの言い訳を紹介しているが、ここでは幅広いシーンで汎用的に使える言い訳を紹介する。

① ネットワークの調子が…

ネットを介したやり取りを行うのであれば、幅広いシチュエーションに対応することができる。オンラインストレージから必要なファイルをダウンロードし忘れていた場合や、Web会議などで返答に詰まった／多少遅れて参加した場合など、とっさの時間稼ぎに使うことができる。いわゆる突発的な機器トラブルの類であり事前の予測や対処が難しいため、咎められることが少ない。とはいえ、長時間ともなるとさすがに問題なので、その場合は**少し間を開けてスマホから参加するなどして、「すぐに解決しないので端末を変えた」と説明すると、できる限りの対応をしている努力も伝わる。**

② 子ども／ペットの世話で…

時間的拘束を受けそうな場面で使いやすい。子どもはもちろんのこと、生き物を蔑ろにしてまで、他のことを優先しろとはそうそう言われない。ペットについては**犬や猫のような一般的なものから、熱帯魚やは虫類など、日常的に世話が必要な動物であればなんでもいい。飼っているように装ってもOK**だ。ただし、バレたときに危ない人認定される恐れがあるから、「子どもがいる風」に装うのはオススメしない。

飲み物をこぼした／Gが出た（在宅勤務時）

　発生するタイミングが予測できないため、「まさに今起きた」という体で一時的に席を外すことができる。不在時に連絡を受けていたような場合でも使用可能だ。その対処にかかる時間も長短様々であり、汎用性は高い。**「窓を開けていたら蜂が入ってきた」「宅配便が来た」**など、他にも有り得そうな言い訳を、いくつかストックしておこう。

 医者に止められている

　例えば嫌いな食材を出されたとき、**「健康診断の結果、〇〇を控えるように言われた」**（〇〇は食材でも成分でもいい）と言ったり、気が乗らないレジャーであれば**「体に負担のかかる運動は避けている」「肌が日光に弱くて長時間外にいることができない」**などと言ってもよい。具体的な病名を挙げず、医者から対処療法的に指示されているという体をとるのがおすすめ。

〜と思っていた／〜と勘違いしていた

これらは過失であることを強調する方法だ。**問題となった事象そのものではなく、しっかりと認識できていなかったのが悪いという方向に話をそらすことができる。**例えば、「仕事をやり忘れていた」→「期限を勘違いしていた」などである。真面目に取り組んではいたものの、認識のズレによって発生した不可抗力的なミスであるという点を強調しよう。前述の例であれば、「日程通り進められていると思い込んでいた」ということを謝罪したうえで、**その後の具体的なリスケ内容をその場で提示する**など、前向きに次のアクションについて説明するといいだろう。

 部下／後輩に誘われて

飲み会や出かける際にこう言うと、「同僚（職場の付き合い）や友人」というよりも納得性が高い。単なる遊びではなく、なにか相談がある、もしくは慕ってくれているのを無下にできないという感じが出やすいからだ。特に「最近塞ぎがちだった」「突然神妙な面持ちで」というふうに、**誘われたときの部下の状況を少し重めに表現して付け加える**と、「そういうことならしょうがないかな」と思わせやすい。

第 3 章

恋愛・パートナー編

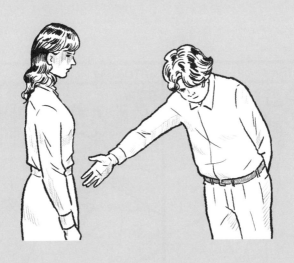

45

パートナーの誕生日を忘れていたことを次の日に思い出した

　付き合って間もない時期であれば、パートナーの誕生日など一大イベントだろう。お店をあれこれ探したり、プレゼントに頭を悩ませたりと準備に全力を注いだはず。しかし、それから何年も経つと、以前のような情熱もなくなり…、今年に至っては気づいたら誕生日を1日過ぎてしまっていた。もちろんプレゼントも用意していないし、お祝いメッセージすら送っていない。今さら忘れていたとはとても言えないだろう。向こうからなにも言ってこないのも、より不安をかき立てる。事態がさらに悪化する前に、速やかにフォローしよう。

言い訳 01 ＞ メッセージの文面に悩みすぎて 一日経ってしまった

　今年は驚かせようと、凝った文章をひたすら考えていた。しかし、ありきたりのものしか思いつかず、送るのをためらっているうちに一日過ぎてしまったのである。実は休日にお店の予約も取ってある…かは定かではないが、その時点でできる最大限のフォローを併せて用意しておこう。

言い訳 02 ＞ 誕生日メッセージの送信を 予約していたはずが失敗していた

　日付変更と同時に誰よりも早く「おめでとう」を送ろう、そう考えていた。しかし、仕事で疲れて0時になる前に寝落ちしてしまいそうなので、最悪の場合を考えて送信予約をしておこう。その後、結局眠りについてしまったが、なんの返信も来ていないのでおかしいと思い確認すると送信エラーだった、という状況だ。

言い訳 03 ＞ プレゼントが当日到着するはず だったのに遅れている

　オンラインで購入したプレゼント。余裕をもって購入し、誕生日当日に着くようにしたのに、直前で配達日が変更になってしまった。今から別のものを考えるのも大変だし、買いに行ったら間に合わない。色々と逡巡するうちに時間が過ぎ、言い出せなくなってしまった、などと当日の状況を説明するとよい。聞かれたときのために、プレゼントの内容は考えておこう。

 ワンポイント アドバイス ‖ 「サイト側の在庫都合でキャンセルになった」としてもよい。

パートナーとのデートより
私事を優先したい／
私用で約束を直前で断りたい

　デートが楽しくないということはない。出かける先のネタが尽きてきてマンネリ化している、行こうとしている場所の口コミがあまりよくないなど、あれこれ理由は考えられるが、なんとなく気持ちが乗らないのだ。特に外せない用事があるわけではないが、一日だけデートをお休みしたい。そんなこともあるだろう。最近サボっている部屋の掃除や、フリマサイトで不用品の処分など、ほかにやりたいこともどんどん思い浮かんできた…。

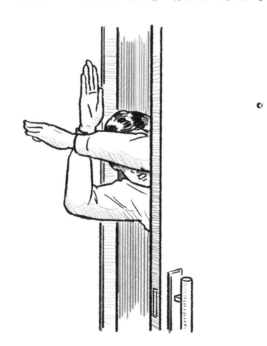

言い訳 01 ＞ （当日に）日程を勘違いしていて 今日はもうだめだ

こちらも楽しみにしていたので忘れるなんてありえない。勘違いしていた日はしっかりと空けてある。そして、今日は別の予定を入れてしまっており、まさに今家を出ようとしているところだった。こちらの予定も前々から計画しており、急遽キャンセルしたいとはなかなか言い出しにくい。

言い訳 02 ＞ 近い日に資格の試験があるから 集中して勉強したい

自身のスキルアップのためとしてもいいが、会社から取得するように言われている体にすると、説得力が増す。直前に言い出すのであれば、あまり進捗が芳しくなく、なるべく時間を試験勉強に当てたいとするのがよい。なんの試験なのかは間違いなく聞かれるので、答えられるよう準備しておくこと。

言い訳 03 ＞ 親戚の結婚前の顔合わせが 予定された

結婚式そのものであれば、前もって予定調整がなされるはずで突発的に言い訳として使うのは違和感を持たれるかもしれない。しかし、その事前の集まりであれば、直前に「ちょっと顔出せない？」と呼ばれることがあっても不自然ではないだろう。改めて自分のために日程を空けてもらうほどではないが、親戚一同が揃う場には出席しておきたい。

ワンポイントアドバイス ‖ 親から「ついでに祖父母にも会っていけば喜ぶよ」と言われていると付け加えれば、快く送り出してくれるはず。

47 彼女が髪を切ったことに気がつかなかった

　デートも後半に差しかかり、突如立ち止まって彼女が「ねぇ気がついてる？」と問いかけてきた。なんのことかと思い呆然としていると、髪を切ったことをいら立ちまじりに告げられた。服と合わせてセットを変えた程度にしか思っていなかったが、言われてみれば確かに以前よりも少し短くなっているように見える。ささいな変化だからこそ余計に気がついてほしかったのだろう。くどくどと追及されないようにするためにも、言い訳に全力投球しよう。「気づかなかった」と言ってしまった場合は、無理に取り繕うより素直に謝罪したほうがいい。

言い訳 01 なんで切ったのか気になって言えなかった

ロングからセミロング、ミディアムからボブにと、そこそこ短くしていたような場合に有効だ。なんの説明もなかったため、髪型についてネガティブなことを言われたとか、嫌なことがあって気分を変えるために短くしたのかなど、なにか事情があるのではないかと考えていたら、言い出せなくなってしまったのだ。

言い訳 02 「髪切った?」と聞かれるのが苦手な人もいるので、あえて言わなかった

付き合ってからそれほど長くない場合に使いやすい言い訳だ。外見について必要以上に関心を持たれることをきらい、いちいち聞かれることをわずらわしく感じる人もいる。どういうタイプかまだわからず、余計なことで関係を崩したくないのであえて聞かなかった、という返答だ。

ワンポイントアドバイス | 以前、職場などで女性に「髪切った?」と聞いて嫌がられた経験があり、この手の話題は少し慎重になると付け加えるとよい。

言い訳 03 それよりも今日の○○（服、バッグ、アクセサリーなど）が気になって

今日は彼女の雰囲気が、普段とは異なる感じがする。全体的にかなり好みのスタイルであり、一緒に歩いているだけでこちらの気分も上がる。もちろん髪を切ったことも気がついていたが、それ以上に服やアクセサリーが似合っているため見とれてしまった。多少わざとらしくてもいいので、具体的にコーディネートを褒めつつ伝えれば、相手も悪い気はしないはず。

48

とっておきと
連れていったレストランが
去年と同じだった

　「今日のお店は任せてほしい」。そんな見得を切って、記念日に
パートナーを連れてきたが、なにやらけげんな表情。どうやら去
年も同じ店で食事をしていたようだった。しかしすでにコースの
予約もしているし、ほかの店を探すにしてもここよりよいお店は
思いつかない。不評だったわけではなさそうだが、ワンパターン
な人間だと思われるのも避けたい。ここはあえてこの店をもう一
度選んだ体にして、その理由を伝えよう。

言い訳 01 > リニューアルオープンした／メニューが新しくなったと聞いた

　確かにお店は同じかもしれないが、この1年でリニューアルし、メニューも刷新したらしい。以前来たときもすごく美味しかったので、せっかくだから新しくなったメニューを一緒に楽しもうと思い、この店を選んだのだ。実際のところはリニューアルなんてしていないと思うが、パートナーもメニューの一つひとつを細かく覚えてはいないだろう。

 ワンポイントアドバイス ┃ 前に来たときのことを会話の随所に折り込むことで、「以前来たことを忘れていたのでは?」という疑いを軽減することができる。

言い訳 02 > 最近口コミが急に伸びている

　どういう事情があったのかはわからないが、最近急に「美味しい」という評判が増えてきて、ちょっとした人気になっているようだ。話題になった理由はよく知らないし、それほどミーハーというわけでもないが、自分がイチ推しのお店が話題になっているのであれば、もう一度訪れたことも納得してもらえるだろう。

言い訳 03 > 大切なときはこの店って決めている

　もちろん去年来たことは覚えている。どんな料理が出てくるのか期待を膨らませながら初めてのお店に行くのもいいかもしれないが、逆に馴染みのある店で定番料理を食べながら過ごすのも、自分は悪くないと思っている。少しきざな雰囲気を出してもいいから、照れずに真面目な顔で覚悟を決めて言いきること。

浮気相手からの
メッセージが来ているときの
ホーム画面を見られた

　メッセージアプリの多くは、受信すると割り込みのバナー通知が表示される。机の上に置いていたスマホに、今まさに浮気相手からのメッセージが表示され、パートナーの目に触れてしまった。わずか数秒ではあったが、どう考えても見られた、そして大まかな内容も確認されてしまったようである。通知を切っておけばよかったと、今さら後悔しても始まらない。同じ過ちをしないようあとで設定を変えるとして、なによりも優先すべきは恐ろしい表情で説明を待っている目の前のパートナーへの言い訳だ。

言い訳 01 > 連絡先が漏れているのか、最近知らない人からメッセージが来る

　内容を詳しく確認していないが、おそらく出会い系のスパムが来ている。最近になってその件数も増加していることを説明しよう。親しげな文章で送ってくるため、一瞬知り合いかなと勘違いすることさえあり、自分も迷惑しているのである。焦りの表情は決して見せず、少し面倒くさそうに説明するとよい。

 ワンポイントアドバイス ‖ これまでのやり取りを見られたらアウトなので、速やかに履歴を消去するか、以下の言い訳も併せて活用してなんとしても乗りきろう。

言い訳 02 > ○○は面白がって誤解するような表現で送ってくるんだよね

　○○にはメッセージ相手の名前が入る。酔った勢いなのか、冗談で誤解を受けるような内容を送信してくる異性の友人がいるのだと説明する。長い付き合いなので、悪趣味な冗談も飛ばし合う仲なのである。仲のいい異性の友達がいること自体に懸念を示される可能性があるならば、「ハンドルネームが異性っぽいが同性の友達」としてもよい。

言い訳 03 > これ最近できた彼女風に返してくれるAIチャットなんだよ

　技術の進歩は目覚ましく、AIは今や人と区別がつかない受け答えをするまでに進化している。メッセージアプリに組み込まれているものもあり、これはそういったもののひとつであると説明しよう。よほど業界に詳しくない限り、そういったサービスが実在するのか真偽を確かめることは困難だろう。

別の異性と一緒にいるところを見られた

　これは非常にまずい状況だ。普段パートナーがいるはずのない場所を選んだはずなのに、運が悪いことに別の異性と一緒にいるところを見られてしまったようだ。「この前一緒にいたあの人だれ？」と、どうやらウヤムヤにするつもりもない様子。とりあえずはその場で詰問されなかっただけでもまし、と考えるべきだろう。監視用にGPSアプリなどを入れられてしまったらたまらないので、相手が話を聞く姿勢を見せているうちに、しっかりと火消しをしておこう。

言い訳 01 > 会社の後輩と打ち合わせの帰りで…／昔の友達と偶然会って

確かに異性とそこにいた。しかし、決してやましい関係ではない。職場の人と一緒に取引先に行ったあとに流れで軽く一杯、または偶然街中で旧友に会い、せっかくだし時間があるなら…と立ち寄っただけである。あまり詳しくしゃべりすぎてボロが出ないよう、シンプルに必要最小限の内容を伝えよう。

言い訳 02 > その日は△△にいたから、そっくりさんだ

世の中にはそっくりな人が3人はいるらしい。偶然にもそのうちの一人とパートナーは出会ったようだ。疑っているようだが、その日は△△（具体的な場所や地名）にいたため、その場所にいることはありえないのである。この言い訳を使うには、いつどこで目撃されたのかをそれとなく聞き出しておくことが必要だ。

ワンポイントアドバイス ｜｜ 写真などの証拠がなければ、「その日はこんな服を着ていた」と先手を打って疑いの余地を潰すのもありだ。

言い訳 03 > SNS映えする食べ物の写真を撮るのに同行した

巨大パフェ、もしくはタワーのようなパンケーキなど、SNSに載せるための写真を撮るのに協力してほしいと、後輩にお願いされたのだ。一人では到底食べきれない量であるため、カメラマン兼料理を食べきる要員として同行した、という体で説明しよう。写真やカメラを趣味にしているような場合は特に使いやすい。

シチュエーション 51 | スマホのなかの浮気相手とのツーショット写真を見られた

　スマホで撮った写真を見せながら、旅行先の思い出や、おすすめの料理について話すことなどは多いだろう。パートナーと話しながら、目の前でライブラリの写真をスクロールしているときに、見られてはまずい浮気相手とのツーショットをうっかり表示してしまった。たとえ一瞬であったとしても、そういう写真は印象強く残るものだ。その場で焦って消そうとすると余計に怪しまれるため、後ろめたいことはないということを堂々とした態度で説明しよう。

言い訳 01 > 合成の練習をしていた

ひと昔前、本物と見間違うかのような合成画像を作るには、高価な画像編集ソフトが必要だった。しかしながら昨今では、スマホひとつで簡単に作ることができてしまう。確かに練習するなら、もっとほかに適した素材があったことは素直に認めるとして、この写真は合成されたフェイク画像なのだ。オリジナルの画像は消してしまい、この画像だけ残っていたと伝えよう。

 ワンポイントアドバイス ‖ 知り合いにウケをとるため、AIで生成したフェイク画像であるとしてもいい。

言い訳 02 > ちょっとスキンシップが過剰な、久しぶりに会った仲のいい友達

酔うと抱きつく癖がある人だった、または海外在住期間が長かったため抵抗なく距離を詰めてきたなど、そういうコミュニケーションスタイルの人だということを説明しよう。久しぶりに会ったため相手もテンションが上がっており、向こうのノリに自分も合わせただけである。単なる記念写真なのだ。

言い訳 03 > 彼氏／彼女風に撮ってほしいと頼まれた

一体何に使うのかは自分にもわからないのだが、付き合っている風の写真を撮りたいとお願いされ、渋々写真を撮った。その写真を相手に送った後に消し忘れていただけなのである。色々な場所をバックに撮られた写真が大量に見つかったようなときは使いにくいかもしれないが、数枚であれば切り抜けられるだろう。

パートナーとのデートで「前にここに一緒に来たときにさ…」と言ったら「一緒に来るの初めてなんだけど」と言われた

テーマパークやお気に入りの飲食店などで、うっかり以前付き合っていたパートナーと来たことを口走ってしまったという状況である。パートナーとしては、「前の相手のことを引きずっているんじゃないか」、または「浮気でもしているのでは」と不安な気持ちを抱くかもしれない。たとえ浮気などしていなくてもパートナーが嫌な思いをしているのは間違いない。「初めて一緒に来た」という特別感が思い出につながるのである。これ以上怒らせてしまう前に、速やかにフォローしよう。

言い訳 01 〉 調べすぎて すでに来た気になっていた

毎回デートには気合を入れて臨むので、事前のコースチェックは抜かりない。少々大げさかもしれないが、ガイドとして通用するくらいの情報量を頭に入れている。事前の情報収集とシミュレーションをやりすぎた結果、行ったことがあるかのように錯覚してしまったのだ。飲食店などの場合であれば事前に下見に来たと言ってもいいだろう。

言い訳 02 〉 あれ、来てなかったっけ？ 何回も来ててわかんなくなっちゃった

ある程度高級感のある飲食店に来ていたときなどに有効。友人や会社の同僚、取引先など様々な人と一緒に来ている使い勝手のいいお店であり、かなりの回数利用しているため、誰と来たのかを覚えていなかったという状況だ。お店の使い回し感は出てしまうが、下手に疑われるよりはいいだろう。

言い訳 03 〉 今ドキッとした？

ちょっとキザな言い方ではあるが、パートナーを試すような発言をわざとしたという内容だ。これでうまく回避できればいいのだが、自分のキャラにそぐわなかったり、こういった発言を冗談だと捉えられずさらに怒らせてしまう可能性もあるため、通用するかしっかりと考えたうえで使用すること。

ワンポイント アドバイス ‖ 言い訳を言う前に、一瞬相手の様子を確認するような仕草（目線など）を行い、言葉に間を設けることで、より言い訳に注意を向かせることができる。

シチュエーション 53 パートナーに隠していたAVが見つかった

　ベッドの下や本棚の裏、定番の隠し場所にしっかりとしまい込んである、人には言えないDVD。決して誰にも見つからないはずだったのに、遊びに来たパートナーに運悪く発見されてしまった。笑って済ませられたならいいが、「私に不満があるってこと!?」などと詰め寄られたら、弁明するのもひと苦労だ。ネチネチと追及される場合もあるだろう。こういった悲劇を避けたいのならば、ダウンロード版を購入することをおすすめする。

言い訳 01 > 友達が置いていったのを返すのを忘れて、ずっとそのまま

ずいぶん昔に友人が遊びに来た際、ふざけ半分でそっと置いていったものを、返しそびれたまま今に至るという状況だ。もちろんこちらが頼んだものではなく、中身もちゃんと見てはいないということを説明しよう。しまい込んでいたものが見つかったシーンを想定しているが、出しっぱなしだった場合は「部屋の掃除をして見つかったものを返し忘れないように置いていた」と説明するといい。

言い訳 02 > 心霊現象が映り込んでいると噂で聞いた

大抵は空耳や見間違いで片付けられるが、これに収録されているものはレベルが違うらしくオカルト好きの間で話題になっている。後に修正されたのか初回出荷分のみで発生するため、軽くプレミアがついた価格で購入した、などとディテールを付け加えると、内容そのものには興味がないことが伝わるだろう。まさか「じゃあ一緒に確認しよう」などと言われることはないはずだ。

「○○のそっくりさんが〜」は絶対NG

知り合いの○○にそっくり、または自分がファンの△△に似ている人が出演していると友人に渡された、など現実に存在する人物を引き合いに出すのはやめよう。特に共通の知り合いともなると「普段からそういう目で見ているのでは」と余計に勘ぐられてしまう可能性がある。内容に言及するならば「AVだが内容はコントのようなドラマ」「一部では有名な監督が手掛けている」など、本筋には興味がないということを説明するほうがいい。

プレゼントをもらったが、明らかにいらなそうな態度を悟られたくない

　贈り物をされたら、大抵の場合はそれがなんであれ嬉しいものである。しかしまれに心の底から「いらない」と思うものを渡されることがある。ネタとして渡されたのであれば苦笑いで終わらせることもできるが、真剣に選んだものであると対応に困る。相手は「きっと喜んでくれるだろう」と思っているため、こちらの反応に期待している。困惑の表情をぐっとこらえて、うまく取り繕う必要がある。今後は自分が欲しいものを、それとなくアピールすることも必要かもしれない。

言い訳 01 > 気になって買おうか迷ってた

　若干、態度に出してしまった場合に有効。気になってはいたが、買うかどうか悩んでいたものだったので、偶然もらえてビックリしたのだ。自分では購入に踏みきれなかったが、気がねなく使うことができるということを伝えよう。「言ってなかったのに、よく気になってるとわかったね」と付け加えると効果的だ。

言い訳 02 > これより安いやつ（グレードの低いもの）を持っている

　こちらも一瞬微妙な表情をしてしまったときに使える。実は同じ用途のものを持っているのだが、ケチって買ったため、もらったものよりもグレードが低い。これからはこちらを使うようにすると、背景を説明しよう。すでに持っているほうについて、不便と感じるポイントや不足している機能など、劣っている点をいくつか引き合いに出すと、喜んでいることが伝わりやすい。

ワンポイント
アドバイス ‖ 「2個あっても困らない」は相手を
傷つける危険性があるので、言わないように。

言い訳 03 > 一生懸命考えて選んでくれてありがとう

　頭を悩ませたり、探したりしてくれたことに対して感謝の意を伝え、リアクションへの注意をそらす。いらないものにお礼を言うのは心理的抵抗があるが、相手の気持ちに感謝するのだから本心になる。内容について聞かれたら、見た目や色など当たりさわりのないポイントを1〜2個褒めるといい。

美味しいと思って連れていった飲食店が不評だった

　リーズナブルな値段で希少部位を食べることができる、評判の肉料理店にパートナーと来店。もちろん下見もバッチリだ。しかし一品目からけげんな顔で全く箸が進んでいない様子。聞いてみたところ、全く口に合わないのだという。自分自身はかなり美味しく感じているのだが、このままだと「バカ舌」の烙印を押されてしまう。会話も弾まないので、今日のところは早めに退散するとしよう。その前に一言。

言い訳 01 > この前来たときと味が違う

　その日の食材の仕入れ、もしくは調味料のさじ加減の違いなどで、異なった味つけになることはある。加えて前に来たときは、お腹が空いていたことが後押ししたかもしれない。色々原因は考えられるが、本来の味がどうだったという議論をしても、相手に伝わるわけではないので、「今日は運悪くハズレの日だった」ということを伝えて、早々に店をあとにしよう。

言い訳 02 > 美味しかったこの前の料理は期間限定だったみたい

　特におすすめの一品を注文しようと思ったが、なぜか今日はメニューに見当たらない。どうやら前回来たときは期間限定メニューだったようだ。その料理以外はそうでもないことは知っていて、タイミングが悪かったと伝えよう。もし、どのような料理だったのか聞かれた場合は、「旬の食材を使った○○」と言えば季節限定感も出る。

言い訳 03 > 今日はお酒との食べ合わせがいまいちだった

　ビールと枝豆、ワインとチーズなど、お酒とマッチする食べ物の組み合わせは数多くある。その逆に、お酒との食べ合わせの問題で、料理の善し悪しが大きく変わってしまう場合もあり、今日はどうやらその選び方に問題があったということを伝えよう。

ワンポイントアドバイス

「以前よりもお酒の質そのものが落ちているため、料理全体の満足感に影響が出ている」と言ってもよい。

56 | 奢ってもらった料理が食べられそうにない

臨時ボーナスが入ったパートナーのはからいで、ちょっとおしゃれなフレンチレストランでコース料理を食べることになった。前菜からどれも美味しく、いよいよメインディッシュというところで事件発生。苦手な食材が皿の中心に鎮座している。以前、友人の結婚式で初めてその食材を食べたところ、どうしても口に合わず残してしまった。それ以来、避けてきたのだが、コースで出てくるとは考慮してなかった。事前に伝えておくべきだったのだろうが、奢ってもらっている手前、あとから言うのも申し訳ない。なんとか食べずに終わらせられないだろうか…。

言い訳 01 ＞ お昼を食べすぎた

　夜にコース料理と聞いていたものの、友人とランチ焼肉に行ってしまったのが影響しているのか、前菜から少しずつ食べたことでゆっくりと刺激された満腹中枢が、この瞬間になって「これ以上食べられない」と告げている。失礼なのは承知のうえだが、吐いてしまっても迷惑がかかる、と申し訳なさそうに伝えよう。

言い訳 02 ＞ お店の内装・雰囲気が素敵で見とれていたらお腹いっぱいになってしまった／普段あまり来ない店で雰囲気に飲まれて食べられなくなった

　入り口からいかにも高級感あふれる外観、店内はいかにも高そうな調度品に囲まれて外国の高級レストランのような雰囲気…。店内を見渡していたら、なんだかお腹も満足してしまった。あるいはその逆で、雰囲気に緊張してしまい、食事が喉を通らなくなったとしてもいい。普通の居酒屋などでこの言い訳を使うと「どんな世間知らずだ」と思われてしまうので、場面は考えること。

 ワンポイントアドバイス ｜｜ 高そうな食器が使われていたら、「壊さないか緊張した」と言ってもよい。

言い訳 03 ＞ 酔いが急に回ってきた

　いつもよりそれほど多く飲んだわけではないのだが、急に頭がぼんやりしてきたので少し落ち着きたい。いったん水を頼んだうえで、少し時間を空けてから「食べられなさそう」と伝えれば、不自然だと思われないだろう。酔いが悟られにくいタイプの人もいるため、自信を持って演技することが重要となる。

しつこく
ご飯に誘われる

　あまりはっきりと言わないのがいけないのか、度々食事に誘ってくる人がいる。いい加減断るのが面倒なので、「あなたとの可能性はないですよ」ということを暗に伝えたい。しかし、職場の同僚などの場合は、あまり強く断るとその後の仕事にも影響がある危険性も考えられる。一度行けばおしまいということもなく、逆に変に期待を持たせてしまうことにもなりかねない。あれこれ頭を悩ますことに疲れたあなたに、あまり角が立たず、やんわりと断るための言い訳を紹介する。

言い訳 01 > パートナーに悪いから…

　必要な要素をほぼ完璧に伝えることのできる言い訳である。二人で食事はできないし、それ以上の関係になる可能性も一切ない。もちろん実際にパートナーがいるかどうかは問題ではない。プライベートな話であるため、根掘り葉掘り聞かれるような場合は、「セクハラ」として堂々と相手を糾弾することもできる。

言い訳 02 > それじゃあほかの人も誘いましょう

　普通の飲み会と変わらないため、複数人であれば参加可能であるという条件付きの返事である。誘っても間違いなく来ないであろう共通の友人を引き合いに出して、その人が来るなら考えると伝えてもよい。しつこい相手だと、それでも二人きりになれそうなセッティングをしてくる危険性があるため、日時などの具体的な話はしないよう気をつける。

ワンポイントアドバイス ┃ 誘ってきた相手と同性の友人を挙げれば、直接言わずとも「脈はない」ということが暗に伝わる。

言い訳 03 > 昨日作ったご飯の残り物を今日食べないといけない

　予定がある、都合が悪いだけでは粘られるかもしれないが、具体的に言うことで状況を回避できる可能性が上がる。また「あなたとのご飯は昨日の残り物以下」ということが暗に伝わるため、相手のメンタルが相当強いか、とんでもなく察しが悪い場合を除けば、素直に引き下がるだろう。

初対面の人とご飯に行ってみたが、気が合わなかったので早めに帰りたい

　友人の紹介で食事に来てみたのだが、実際に会って話をしてみると思っていた以上に盛り上がらない。時間の無駄のようにも思えてくるレベルの退屈さだ。しかし、ここで一方的に突き放すと、相手にも紹介してくれた友人にも申し訳ないため、それとなくこの場はお開きにしたい、そんなときに使える言い訳だ。次回の予定を聞かれるかもしれないが、手帳を家に置いてきて確認ができないなど、その場はいったんごまかし、しつこい場合は前項を参考にして断る。

言い訳 01 > ペットのご飯を 用意しなくてはならない

　決まった時間に餌をやらなければならないペットがおり、帰らなくてはならないのである。小型の少し変わった動物や、爬虫類などとしておくと、生態について詳しく把握している人は少なく、「そういうものか」と納得してもらえる確率も高くなる。ダメ押しでネットから写真を拾ってきて見せてもいい。

 ワンポイント アドバイス ‖ 冬場や風が強い日であれば 「観葉植物をベランダからしまわなくては ならない」としてもよい。

言い訳 02 > 家族から寄るように 頼まれている店がある

　あまり遅い時間帯では使えない、かつ家族と同居している場合に限る（そういう体にしても可）が、「どうしても」と頼まれたものであると伝えよう。具体的な内容を聞かれた場合は、「クリーニング店にまとめて服を預けており、『明日必要な服がある』と家族が言うため、伝票を持っている自分が店が閉まる前に引き取らなければならない」あたりが理由としても使いやすい。

言い訳 03 > 帰って仕事の続きを しないといけない

　自宅に帰ったあと明日の朝までに仕上げないといけない仕事が残っており、あまり遅くなると睡眠時間が取れなくなってしまうのだ。こう言われたら、「長く引き止めれば逆に印象が悪くなる」と考えて、引き下がるはず。流石に「仕事なんて放っておいてギリギリまで飲もうよ」とは言われないだろう。

こんなときは言い訳をするな

スマート言い訳にも限界はある。ここでは日常的に起こりうる
シチュエーションだが、言い訳をすると状況が悪化してしまう
場面について紹介する。

1 期日までに仕事が終わらなかった

　入社したての新人であれば、幾分話は変わるかもしれないが、どうし
て終わらなかったのかをいくら説明したところで、状況が好転すること
はない。**上司や取引先が聞きたいのは「それで、どうするのか？」**だ。
そのため**言い訳するのではなく、期限を伸ばす方向で考える**。あとどの
くらい必要なのか、具体的な日程感を提示して交渉するのがよい。

2 誤発注／誤送信をしてしまった

　どうして確認しなかったのだろう、と後悔するのはあとにして、まず
は謝罪やフォローアップを優先しよう。**誤発注や誤注文であれば、急げ
ばまだなんとかなるかもしれない。誤送信のメールは形式的でも「読ま
ずに削除してほしい」という旨の連絡を入れる**。時間が経ってから気づ
いた場合も同様に、できる限り最小の被害ですむ対策を考えよう。

3 悪口を本人に聞かれてしまった

　言ってしまった事実をなかったことにすることはできない。**あれこれ
言い訳するよりも、関係を悪化させないことに注力するべきだ**。後日の
フォローとして、**「あのときはみんなの話に流されてしまった」**と謝ろ
う。本心で言ったのではなくその場の空気に話を合わせるためだった、
と説明することが大切だ。

フリマアプリやオークションで誤って商品を購入した

「子どもが誤ってボタンを押した」「急な仕事の都合で期日までに支払いができない」など、考えられる定型句はいくつかあるが、素直に信じるピュアな人間はそういない。そもそもサイトの規約に違反する行為である。**本当にやむをえない事情の誤購入であったとしても、さらなるトラブルにも繋がりかねないので、途中キャンセルなどは考えるべきではない。**

⑤ 結婚指輪をなくした

　替えの効かないものであるから言い出しにくいかもしれないが、**気づいた時点からなるべく早く申告する。**たとえ同じものが手に入ったとしても、後ろめたさや不安から変な態度をとってしまい、それがきっかけで気づかれてしまう可能性が高い。**新しく購入するのであれば、記念日などに改めて謝罪の意を伝えつつ、もう一度ペアで揃えるとよい**（すぐ代わりを買うのはNG）。

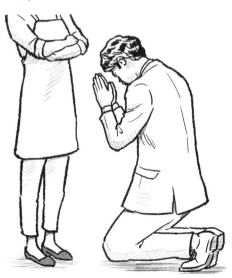

使ってはいけない言い訳

　言い訳をする際にしてはいけないのは**「調べれば簡単にわかる嘘」**を言うことだ。特に仕事においては、よほど適当な職場でない限り、裏取りをされるのでやめておいた方がいい。例えば、言い訳の定番としてよく引き合いに出される「身内の不幸」だが、休むにしてもなんらかの書面の提出が必要になるだろうし、実際にその親戚に不幸があった時にどうしようもなくなってしまう。遅刻をした際の「電車の遅延」も同様だ。遅刻するほどの遅延があったのかは調べればわかるだろう。

　また、**言い訳がさらなる言い訳を呼ぶような事態もなるべく避けたい。**すっかり忘れていた仕事の進捗を聞かれた際に「途中まではできているんですが…」と答えると、できたところまででいいから提出してくれと言われるのが容易に想像できる。その場合、**提出できない状況であることの理由を新たに作らなければならず、どこかで確実にボロが出る。「やっていなかった」ということを隠すのは悪手である。**具体的な手法はP50を参考にしてほしい。

　日常生活においては「仕事」を言い訳として多用することは控えたい。友人相手であれば次回以降誘われにくくなるだろうし、家庭環境においては家事や子どもの世話などより優先して仕事をするということに配偶者がストレスを感じる場合もある。**特に「仕事の付き合いで仕方なく」と言うのは逆効果である。家族からすれば、行きたくもない飲み会に無駄なお金と時間を使っていると思うからだ。**

　最後に、当たり前のことだが、**同じ言い訳を何度も使うのは避ける。**過去の事例から学んで対策していなかったことに失望されるのはもちろん、そのほかの事例についても疑いの目で見られる可能性が高くなってしまう。本書ではシチュエーションごとに2〜3ずつ言い訳を紹介しているので使い分けたり、場合によっては組み合わせるなどして、バリエーションを出すよう心がけてほしい。

第 4 章

家族・家庭編

　夫に任せられる家事分担として最もポピュラーなものといえば、風呂掃除であろう。ほぼ毎日発生し、料理や買い物のように特殊な知識・スキルも必要ない。しかし、お湯張りさえしてあればわからないので、サボってもバレにくい家事の筆頭であることも間違いない。なんとなく面倒臭く思って、適当に洗っている諸兄も多いのではないだろうか。そんな気の緩みから、お湯を張ることすら忘れてしまい、家族から詰問されてしまった。そういうときの言い訳である。

手を怪我していたので
お風呂掃除が難しい

　爪を切るときに深爪をしてしまった、あかぎれが酷くて水や洗剤がしみる、または利き手を突き指して力が入らないなど、怪我により今日は免除してほしい旨を訴えよう。ただし、信憑性を出すためには、それなりの演技力が必要だ。

ワンポイント
アドバイス

事前に言わなかった理由を聞かれたら、
「負担をかけたくなかった」と
けなげな態度を示して話題をそらす。

言い訳
02

カビ取りをして放置していたのを
忘れていた

　風呂掃除の前にカビ取りをして続きをするのを忘れてしまった。または、カビ取りをしようとしていたところ、宅配便などの割り込みが入って忘れてしまったと伝える。洗剤の臭いはある程度時間が経てば消えるため、よほど鼻が利く人でなければバレない。忘れたことに変わりはないが、よりきれいに掃除をしようとしていた姿勢を見せることで相手の溜飲を多少下げられる。

言い訳
03

お風呂が不調だったので、
あとで聞こうと思っていた

　排水溝から水が逆流していた、給湯器のパネルがエラーのような表示になっていたなど、理由はある程度具体的に。家族が帰ってきたら相談してみよう、と考えていたらうっかりお湯張りを忘れてしまったのである。「なにも問題はない」と返された場合は、次回から自分で対処するために取扱説明書の場所を教えてほしいと、前向きに努力する姿勢を見せる。

洗濯機を回したあと、干すのを忘れてそのままにしていた

　家事のなかでも、「洗濯物を干す」という作業はなかなかの手間である。絡んだ洗濯物を解きほぐし、濡れて重くなった服を整えてハンガーにかける。これを一つひとつ行う。単純だが面倒な作業である。それに比べて洗う工程は簡単だ。洗濯物を入れて洗剤を投入、ボタンを押すだけで完了する。あとは洗濯機が自動で作業を行い、脱水が完了するのを待つだけ。しかし、その間になにか別の作業を行っていて、洗濯機を回していたことをつい忘れてしまうのである。数時間後、家族が帰ってきて洗濯物を入れようと蓋を開けると、干されずにそのままの洗濯物が発見される。

言い訳 01 > 全自動モードで動かしたつもりだった

　近年、洗剤投入から乾燥までのすべての工程を、全自動で行ってくれるタイプの洗濯機が増えてきている。いつもは脱水までだが、乾燥も試してみようと慣れない操作をしていたら、残念なことに途中で止まってしまっていたのだ。「仕事のために早く乾かしたい服があった」などと付け加えると、説得力が増す。

 ワンポイント
アドバイス ‖ 適当にほうり込んだせいか、
洗濯物が中で寄ってしまい
途中で止まっていたとしてもよい。

言い訳 02 > 今から干そう／乾かそうと思っていた

　洗濯機を回して、その後干すことを考えると、今日の作業スケジュール上は時間が取れそうにない。そのため最初から日が落ちてからの部屋干しや、浴室乾燥を行うことを想定していたのである。決して忘れて放置していたのではなく、ちょうど少し前に脱水まで終わり、まさにこれから干そうとしていたところなのだ。

言い訳 03 > 途中、エラーで止まってロックが外れなかった

　いつも通りに洗濯機を回したところ、普段の完了音とは違う音を出して突如停止。どう見ても最後まで終わっていない。画面にはエラー番号らしき数字が点滅表示されているが、マニュアルもなく解決は困難を極めそうだ。ロックがかかって蓋も開かず、何を押しても動かないお手上げ状態である。とりあえず洗濯機の機嫌が直るのを待とうと放置し今に至る、という体で説明しよう。

いつも洗濯物を裏返しに入れていることを怒られた

ほとんどの衣類に共通することだが、脱ぐときに工夫をしないと裏返ってしまう。形状記憶を売りにしている衣類ですらそうなのだから、ものぐさの人類の夢である「裏返らない衣類」を実現するのは、もう少し未来になりそうだ。話を戻すが、裏返ったまま洗濯された衣類は、干すときやたたむ際に誰かが戻さなければならない。余計な手間を省くためにも、入れるときに直してほしいと思うのは至極当然であろう。そんなごもっともな怒りを言い訳でどのように受け流すか、腕の見せ所である。

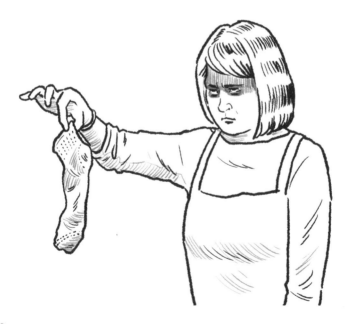

言い訳 01 > 裏表逆にしないと生地が傷むと聞いて

　水流や洗濯槽の回転によって、洗濯中はかなり激しく生地がこすれ合う。そう簡単に破れることはないとはわかっているが、傷んでしまうのではと心配に感じた。なにか対策はないものかと調べた結果、洗濯物を裏返せば内側になった表の生地のダメージは最小にできるとあったので、これを実践していたのである。

言い訳 02 > 洗濯機の中で裏返っている

　洗濯の途中でもみくちゃにされた結果、裏返ってしまったのである。洗濯機の洗い方に癖があるのか、自分の服と相性が悪いのかわからないが、何故かいつも裏返ってしまうのだ。あらぬ疑いをかけられ腹立たしいが、怒るなら洗濯機に対して怒ってほしい。不可抗力のため、なんともし難いのである。

 ワンポイントアドバイス ‖ さらに追及されるようなら「裏返らないことを保証している洗濯機などない」と反論しよう。

脱ぎっぱなしの靴下を指摘された場合は

足裏に伝わる床や絨毯の感触が気持ちいいのはわかる。しかし、脱いだ靴下が床に放置されたままなら、家族は当然怒る。洗濯機に入れればいいとはいっても、それが何故かできない。指摘されたときは「まだ履けるから明日も履こうと思って置いておいた」と返答しよう。洗い物ではない、それほど汚れていないのでまだ履く気がある。そのためそこに「置いて」あるのだ。脱ぎ捨てたのではない。

トイレの電気を
消し忘れていることを
指摘された

　用を足し、スッキリしてトイレをあとにする。なにかを忘れているような気がしつつ、リビングに戻ってのんびりしていると、パートナーのヒステリックな怒号が。そう、トイレの電気を消していなかったのだ。こまめに消したところで実際はそこまで電気代が変わるわけではないのだが、電気がついているとどうしても気になるもの。自分ではない人間が、くり返しやっているとなるとなおさらだ。「何回言ったらわかるの？」と指摘されるが、やはりまた忘れてしまうのである。習慣とは恐ろしく、一度身についてしまうとなかなか直せない…。

言い訳 01 > スイッチの接点が壊れていて勝手についてしまう

これだけ毎日怒られているのに、学習していないはずがなく、しっかりと消すように努めている。見たところスイッチの接点の調子がどうも悪く、うまく動作していないようであった。そういえばこの前トイレの電気が勝手についたり消えたりしているのを見た気がする。今は特に問題は出ていないようだけれども…。

ワンポイントアドバイス ║ 築年数が長ければ長いほど使いやすい。

言い訳 02 > スイッチ横を通るときにちょうど体が当たってしまっているのかも

毎回消してはいるのだが、体の一部が横を通るときにスイッチに当たってしまっているようである。構造上の理由でトイレの前が狭かったり、ドアが小さかったりする場合に有効である。トイレの中にスイッチが配置されている場合は、苦しい言い訳となってしまうので気をつけよう。

言い訳 03 > ○○（ペットの名前）がまたつけている

犬や猫などのペットがいる場合に有効な言い訳。自分は消しているのだが、ペットがいたずらでスイッチにタッチしているのである。流石にこれは怒るに怒れない。もしくは、真面目なトーンで「夜中にラップ音がする」などと、心霊現象のせいにしてみてもいい。しかしパートナーがこの手の話を苦手とする場合は、嫌がらせのようになってしまうので気をつけよう。

弁当箱を出し忘れた

　朝早い時間に起きて作ってもらった弁当。お昼に美味しくいただいたら、帰宅後すぐに洗えばいいのだが、うっかりカバンから出し忘れていたことに翌日の朝に気がつく。1日経った弁当箱は、開けてみるとなかなかの臭気を放っている（特に夏場なら3割増だ）。パートナーからしたら、単に洗い物が増えるにとどまらず、精神的なストレスや怒りも大きくなるはず。弁当箱はひとつしかないため、こっそり自分で洗おうにも確実にバレる。いったいどのように言い訳すればいいだろうか…。

言い訳 01　昨日は会社の食堂で食べた（弁当を持っていかない日）と思っていた

　人間誰しもに老いは訪れる。記憶力には自信があると思っていても、いつの間にか昼に食べたものすら思い出せなくなってしまう。そしてどうしてか、「今日は食堂で食べた」と思い込んでいたのだ。毎日欠かさず弁当を作ってもらっているとなると難しいが、時おり外食や社食なども利用する場合は有効だ。

言い訳 02　会社に忘れた

　帰宅しようとしたときに緊急案件が発生。対応しているうちに慌ただしく時間が過ぎ、だいぶ会社を出るのが遅くなってしまった。そういえばバタバタしていて荷物をまとめているときに、弁当箱をデスクに置いたままにした気がする、仕方ない、明日は忘れないように持ち帰ろう…、それを報告することを忘れてしまったのだ。

ワンポイントアドバイス ‖ 相手に「仕方ない」と思わせるためにも、案件の緊急度合いを具体的に説明する。

言い訳 03　疲れすぎて

　会議に来客と、その日は朝から予定がぎっしり詰まっており、期限の近い仕事も重なって気が休まらない一日だった。身も心も疲弊しきって倒れるように寝てしまい、弁当箱を出し忘れてしまったという状況だ。帰ってからも仕事をしていたような場合は説得力が増す。「翌日の重要な会議のことで緊張して頭がいっぱいだった」としてもいい。

朝のゴミ出しを忘れた
（捨てるゴミを玄関に置いたままだった）

　夜のうちにゴミをまとめて、回収が来る時間までにゴミ捨て場に袋を置いてくる、たったこれだけの至極簡単なミッションであるはずだった。ところが身支度をして朝食を食べている間に、もう行かなければならない時間。なにか大切なものを持っていないような気もするが、急がなければ電車に遅れてしまう…。という状況だったのかはわからないが、いずれにせよ、まとめられたゴミ袋は玄関に残されたままだったのだ。帰ってから気がついたのであればすぐに連絡、家に帰る前に気がついたのであれば事前に連絡して、これらの言い訳を使って家族に説明しよう。

言い訳 01 > 間違えて捨ててしまったものを
サルベージしようと思って、捨てずにおいた

　そこまで重要ではない仕事の書類、ポイントカードなどのカード類、大幅割引のクーポン券など、間違って捨ててしまったかもしれないことにゴミを出す段階で気がついて、あとで探そうと思っていたという状況だ。「それを間違って捨てたのであれば、ゴミに出さないように釘を刺すはずだ」と相手に疑念を抱かせないためにも、重要であったり高価なものを例に出すのは避けよう。

言い訳 02 > ゴミ袋に穴が空いていた

　捨てようと思って持ち上げたところ、ゴミ袋に穴が空いているように見えた。このまま捨てるとゴミ捨て場で袋が破けてしまうかもしれない、そうなったら大惨事だ。しかし、新たなゴミ袋に詰め直している時間はない。仕方ない、次の回収の日にゴミ出しをするとして、とりあえず今日は諦めよう…。なに？ ゴミ袋に穴など空いていない？ まぁ、急いでいたので見間違うこともあるだろうさ。

屋外にゴミ捨て場がある場合

マンションなどに併設されているゴミ捨て場であれば、なにか変わった事態が発生していることはまれだが、屋外にあるゴミ捨て場となるとやむを得ずゴミ出しできないような状況もありうる。カラスがゴミを荒らしていた、不審な人物が見張っていたなど、理由はなんでもいいが、大事にならない程度の言い訳にしておこう。

65

頼まれていた
買い物を忘れて
家の前まで来てしまった

「そういえば醤油とトイレットペーパーが切れそうだから、帰りに駅前のスーパーで買ってきて」と家族から頼まれた。お安い御用と快諾していたのだが、すっかり忘れて玄関の前に着いてしまった。スーパーまで片道10分、もう一度戻って買うのは面倒臭いが、それより近くに店はない。最寄りのコンビニでも買えそうだが割高になるのは間違いない。そこまで緊急性も高くなさそうだし、なんとか言いくるめようと決心してドアを開けた。

言い訳 01
仕事の電話がかかってきてしまい、（駅から）ずっと話しながら来た。このあとすぐに取りかからなければならない

　帰りの電車内、ポケットの中でずっと携帯が振動している。最寄り駅で降りて、折り返したところ、仕事でトラブルが起きており、急ぎで資料作りと関係者へのメール連絡が必要となってしまった。家族には端的に状況を伝え、速やかにPCを開こう。作業しているふりを30分も続ければ、アリバイ工作は十分だろう。

言い訳 02
雨が降りそうだったので急いで帰ってきた

　空は今にも雨が降りそうな様子で、万一降り出したらすぐに止むとも限らない。あいにく折りたたみ傘も持っておらず、雨に濡れる前に急いで家に帰ってきたという状況だ。梅雨や夏場の夕立など、頻繁に雨が降る時期は特に使いやすい。たとえ晴れの日でも「駅に着いたときはポツポツときていた」と言えば問題ない。

言い訳 03
いつも使っているメーカーのものが見つからなかったから買ってこなかった

　特売セールや大幅値引きといった事情がなければ、日用品の多くは普段使っているメーカーのものをくり返し購入することが多いと思う。店には行ったが、いつもの商品が売っていないのだから仕方がない。「その場で連絡してくれればいいのに」と言われたら、「そこまで気が回らなかった」と素直に答えて、次回から注意するという前向きな姿勢を見せよう。

ワンポイントアドバイス　｜｜　仮に間違っていても「○○社のだよね？」と具体的な社名を挙げるほうが信憑性は高くなる。

こっそり買った商品の配達を家族が受け取ってしまった

　以前から気になっていた高額商品を勢いに任せて買ってしまったとか、同じようなものをいくつも所持しているのにコレクター魂から新作に手を出してしまったなど、家族にはなかなか言い出しにくい趣味関連の購入品。オンライン手続き後、到着を心待ちにしていたところ、受け取り時間をミスして家族が荷物を受け取ってしまった。伝票には商品内容が記載されていたため、中身をごまかすこともできない。「これは何？ 聞いてないんだけど」と若干怒り気味に説明を求められているが、どうしようか…。

言い訳 01 > キャンセルしたはずの商品が届いた

　確かに一度は買ったが、後に冷静に考え直してキャンセルしたはずだった。なにかの手違いか一歩遅かったのか、届いてしまったようである。商品に不具合があるわけではないため、交換ならまだしも返品は難しそう…、ということを説明しよう。それでも返品するように言われた場合は、「業者に問い合わせる」と言っていったんしのぎ、ほとぼりが冷めるまで目のつかないところにしまっておこう。

言い訳 02 > 間違えて（グレードの）高いほうの商品を買ってしまった

　高いモデルも気になってはいたが、最終的にはコスト重視の安いモデルを選んだはずなのだ。しかし逡巡して商品ページを行ったり来たりしている間に、誤って高いほうを買ってしまったようである。こう説明しても家族が納得していない場合は、今後無駄遣いの削減などをして家計への負担をかけない旨を説明しよう。

なるべく自分で受け取れるための対策を

根本的なことを言えば、荷物を家族に受け取らせなければバレないのだから、時間指定を積極的に活用し、確実に自分が在宅している日時を指定する。うっかり忘れてしまいそうな場合には、スマホのアラームなどで到着前に通知するなどの対策を。指定した時間前後に風呂やトイレ、コンビニの買い物などを行うのはなるべく避ける。局留めや事業所配達にするのもOKだ。可能であれば購入サイトなどで、内容物の記載を家族が見ても問題がないような別の商品名にしたり、非表示設定に変えておく。

飲み会続きで
家族の機嫌が悪い
（けれどまた飲み会に行くとき）

　普段頻繁に参加しているわけではなくとも、忘年会・新年会シーズンなどのように、飲み会が集中する時期はある。毎夜のごとく遅く帰宅し、家事や育児などを任せっきりにして、そろそろ家族のイライラが爆発しそうな雰囲気…。いったん間を空けようかな、と思っていた矢先にまたしても次の誘いが。それも間の悪いことに断りづらい相手である。そんなときに「それならば仕方ない」と家族に思わせるための言い訳を紹介する。もちろん飲み会後は、負担させてしまったぶん家事を多めにやるなど、家族へのケアを怠らないようにしよう。

言い訳 01 > 最近中途入社が多く、歓送迎会なので仕方ない

新たに社員が配属される年度の変わり目などで特に使いやすい。退職者が出たため新たに採用された人が来る、大きな社内の配置転換があったなど、人の入れ替わりが多く発生していると伝えてもよい。連続しているからといって、ともに働くメンバーを歓迎しないというわけにはいかないだろう。

 ワンポイントアドバイス ┃┃ 「入社当時お世話になった上司が定年退職する」としてもよい。

言い訳 02 > 海外から顧客（または現地スタッフ）が来ていて、アテンドする必要がある

海外の取引先の担当者が、または海外支店の現地スタッフが日本に来ており、取引を成功させるためにも手厚くもてなさなければならない。日本滞在は今回が初めてだそうで、美味しい食事を楽しんでもらいたい。逆に自分が出張するときはお世話になるかもしれないし…。「数日滞在するから」と付け加えれば、その後もいくつか飲み会が続くような場合にも対応できる。

言い訳 03 > 部下から「相談したい」と言われている

部下が神妙な面持ちで、会社でできない相談があると言うのだ。「○○さんにしか相談できない」とまで言われている。ここで無下に断れば最悪の場合、会社を辞めてしまうかもしれない、と家族には伝えよう。会社の機密に関わるような内容の可能性であることもほのめかすと、あまり詳細に話す必要もなくなる。

お土産（ケーキや寿司）の箱を開けたらぐしゃぐしゃになっていた

記念日や誕生日に、家族みんなで食べるため買ったケーキ。慎重に運んだつもりだったが、ウキウキの家族の前で箱を開けてみると、中で衝突事故を起こしていた。家族は一瞬にして落胆した表情に変わり、無言で責めるような視線を浴びせてくる。「胃に入ってしまえば一緒」などという発言は到底許される雰囲気ではない。とりあえず明日もう一度ケーキの仕切り直しはするとして、不可抗力であることを伝えたうえで、目の前のミックスケーキを美味しくいただこう。

言い訳 01 > 横にしても大丈夫な 硬いケーキだと思っていた

多少動いても大丈夫そうな形状のケーキに思えた、もしくは底に横ずれや転倒を防止するための固定具がついているように見えたため安心して持ち帰ったのだ。しかし、実際は予想に反して意外と脆かった、それか、固定具が外れて転がってしまっていたなど、予想外な状況に自身も困惑していることを伝えよう。

言い訳 02 > 車にひかれそうになったのを 避けた拍子に電柱にぶつけた

まるで漫画のワンシーンのようだった。横断歩道を渡ろうとしたところ、車が止まらずに突っ込んできたのだ。はっとして、間一髪で避けた際に電柱にぶつけてしまったらしい。ケーキと一緒にぶつけた腕があざになっていないかを確認する素振りなどを見せると話の真実味が増す。

ワンポイント アドバイス ‖ 車に限らず、自転車やランニング中の人を 避けた、または犬に吠えられたでもいい。

言い訳 03 > 会社の近くで買い、 慎重に運んだが崩れてしまった

職場で話題になっていた（会社）付近のケーキ屋。家族みんなで食べたいと思い、おすすめされたケーキを人数分購入した。多少崩れやすそうにも見えたが、慎重に運べば大丈夫だろうと安易に考えていたのが甘かった。普段混まないはずの電車が今日は満員で、ぶつからないようにと気を遣いながら抱えていたものの、残念ながら耐えられなかったようだ。

折りたたみ傘を携帯するように言われているのに、ついカバンに入れ忘れてビニール傘を買って帰ってきた

　透明なビニールが貼られたチープな傘、通称「ビニ傘」が玄関の傘立てに何本も刺さっている。晴れた日に折りたたみ傘をカバンに入れて持ち歩く気にもならず、帰り道で雨に見舞われる度に、駅やコンビニで調達していたところ、このような結果になってしまった。使い捨ての傘ではないものの、そうそう壊れるものでもなくスペースを取る一方である。場所も取るし、家族からは口酸っぱく「折りたたみ傘を持つように」と言われているのだが、突然の雨にあい、今日もまた新しいビニ傘を調達することになってしまった。

言い訳 01 > カバンが小さい（荷物が多い）

そもそもカバンが小さく折りたたみ傘が入らない、もしくは荷物が多すぎて傘を入れる余地がないと、スペースの都合を根本的な原因として挙げる。仕事の資料でカバンがいっぱいなのであれば「荷物を減らせ」とも言われないだろうし、ましてやそのためだけに「大きいカバンに買い替えろ」などと言われることはないだろう。

言い訳 02 > 会社で借りたものをそのままにしている

この傘は途中で買ったものではない。会社で予備を、または駅の忘れ物を借りたのである。いずれの場合も返却の必要があるため、こっそりと処分する、または会社に置いてくるなど、「返却した」という体で本数を減らすこと。

言い訳 03 > 折りたたみはすぐに壊れるので、ビニール傘のほうがコスパがいい

感覚的ではあるが、折りたたみ傘は複雑な構造のせいかすぐに壊れる気がする。ちょっとした風でも折れてしまい、傘としての役目をあまり果たしていない。最近は温暖化のせいなのか昔よりも風の勢いも強く、折りたたみ傘を何度も買い替えるよりも、ビニ傘で済ませるほうが結局は安く済むのだ。

ワンポイントアドバイス ┃ たまっている傘については、「置き傘として会社に寄付した」などと言って少しずつ処分するとよい。

冷蔵庫のお菓子を食べてしまった

　甘いものでもないかと冷蔵庫を開けると、そこにはちょうどよいサイズのプリンが。マーカーで家族の名前が書いてあるが、書いた本人も覚えているか定かではないし、あとで買い足しておけば大丈夫だろう。悪いとは理解しつつも、目先の欲望に負けて美味しくいただいてしまった。その後、家族が帰ってきて「プリンがない！ とっておいたのに！」とものすごい剣幕で騒ぎ立てている。想像していたより怒りレベルは高そうだ。家にいたのは自分だけであり、アリバイ工作は少々難しそうである…。

言い訳 01
賞味期限が切れていたので、このままだと捨てることになるところだった

　カップに入って密閉されていても、生菓子などは意外と早く賞味期限が切れる。冷蔵庫のお菓子も賞味期限が切れていたが、このまま捨てるのももったいない。嗅いでみたところ、特に変な臭いもしないようだ。あとで家族が食べてお腹を壊しても…と、盗み食いではなく親切心もありながら食べたことを伝えよう。

ワンポイントアドバイス ║ 「少し味が変に感じたかも」と付け加えると、相手も怒りづらくなる。

言い訳 02
冷蔵庫にスペースがなく仕方なく食材を入れるために食べた

　食材が詰まっていることはもちろんだが、相手の把握していない食材が冷蔵庫にあり、それが要冷蔵の食材であるのが前提の言い訳だ。一つ目の言い訳と組み合わせて、「期限切れのものから優先的に消費したほうがいいと思った」と伝えると説得力が増す。

ワンポイントアドバイス ║ 冷蔵庫のスペースに余裕があった場合は、「そのほかにも賞味期限が切れたものがいくつかあったので一緒に食べてしまった」と説明する。

言い訳 03
友達（の子ども）が来たのであげた

　昼間にたまたま友人が来ており、なにかお茶受けを探したがこれしかなかった、という体にする。友人がそのお菓子に目がなかったということにしてもよい。また、来訪したのは友人だけでなく、子どもも一緒であったことにするとより信憑性が増す。

子どもを寝かしつけている最中に
先に寝てしまい、
そのことをパートナーに指摘された

　小さな子どもの寝かしつけというのは本当に大変で、「まだ寝ない」と駄々をこねたり、いつまでも寝返りをうってなかなか寝つかないことが多いと思う。暗い部屋でじっと添い寝をしていると、ついついこちらも眠くなって一緒に寝てしまい、目を覚ましたときにはもう翌朝。「やってもらいたい家事や、話したいこともあったのに…」とパートナーからチクリと言われてしまった。そんなとき、少しでも相手の溜飲を下げるための言い訳だ。

言い訳 01 > 子どもの眠りが浅く、動くと起きてしまうから そのまま寝てしまった

寝たと思って動くと目が覚め、再度寝かしつけて寝室を出ようとすると、やはりまたすぐに起きてしまう。腰を据えて眠りにつくのを待っているうちに、こちらも耐えきれず眠ってしまったという状況だ。

 ワンポイント アドバイス ┃┃ ベッドではなく布団を敷いているような場合は、「子どもがゴロゴロと寝返りをうつうちに、入り口を塞がれてしまった」という応用言い訳も可能だ。

言い訳 02 > 寝たふりではなくちゃんと目を閉じて 寝ないと子どもが寝ない

子どもは意外と親のことを見ている。親がもう寝ているとわかれば自分も寝ないといけないのだと理解するし、逆に親に寝る気配がなければまだ起きて遊びたいと思うものだ。子どものカンがなかなかよく、添い寝をするときは「しっかりと」寝たふりをしなければすぐに見破られる。そのため、目を閉じてごまかそうとするうちに、演技ではなく本当に寝てしまったのだ。

言い訳 03 > 寝顔を見ていたら 幸せな気持ちになって

自分の子どもながらまるで天使のような寝顔だ、見ているだけで一日の疲れを癒やしてくれる…。そんなふうに親バカ全開で眺めていたらなんだか満たされた気持ちになり、そのまま寝てしまったのだ。これをストレートに言われたら、流石に言い返せない。パートナーも苦笑いで「わかるけど、次はちゃんと寝かしつけたら戻ってきてね」と円満解決になるだろう。

72 家族の予定を断って 推しのライブに行きたい

　先月ダメ元で申し込んだ推しのライブの抽選が、運よく当選した。いつでも行けるわけではなく、この機会を逃したらチャンスはもうないかもしれない。しかし、まさか当選するとは思っておらず、同日の家族の予定に付き合うと言ってしまっていた。家族にこの重要性を理解できる者はおらず、そのまま伝えても「ライブに行ってきていいよ」とはならないだろう。それでも行く決意を決めたのであれば、こちらの言い訳を参考にしてほしい。

言い訳 01 先輩にチケットを譲ってもらい、行かないわけにはいかなくなってしまった

推しの存在を家族が知らない場合に有効。チケットは自分が取ったものではなく、「行けなくなったため代わりに行ってきてほしい」と先輩から託された、いや半ば強引に押し付けられたものなのだ。もちろん費用は先輩持ちである。お土産にグッズを買ってくるようにも依頼されており、どうしても行くしかないのだ。

言い訳 02 実はファンの間でこの公演が最後のライブだという噂になっている

突如として活動休止や解散といった状況になることがまれにある。恐ろしいことに自分の推しにそんな噂がささやかれているのだ。仮に活動休止だったとしても、しばらくステージを観ることはできないだろうし、最悪解散であればファンとしては絶対に駆けつけたい。情熱を全面に出して同情を買うように説明しよう。

言い訳 03 友人が気を遣ってチケットを確保してくれていた

共通の推しを持つ友人が気を遣ってライブのチケットを2枚確保しており、よかったら行かないかと誘ってくれたのである。競争率の高いライブだったので、友人も当たるとは思っておらず、当選してからの連絡になったようだ。自分が断るとチケットが1枚余ってしまい友人が困ってしまうことと、友人の気遣いを無下にできないということを併せて伝えると効果的。

 ワンポイントアドバイス ‖ 直前であれば、友人の同行者が突然のキャンセルをしたためチケットを余らせている、ということにしてもいい。

週末にどうしても スキー／スノボ／ ゴルフに行きたい

　野外で行う大人のレジャーは期間が意外と限られていて、シーズン中はどうしても毎週末行きたくなっても仕方がない。天候やコンディションを考えると、ベストタイミングはほんのわずかな期間となる。しかし、そのことを説明したところで、「毎週行ってもいいよ」と気前よく送り出してくれる家族は少ないだろう。今週末も趣味友達と予定が組まれているが、まだ家族には言い出せていない。ここに紹介する言い訳でレジャーに出かけた帰りは、少し奮発したお土産を用意しよう。

言い訳 01 後輩に「教えてほしい」と頼まれている

　これから始めようと考えている後輩に教えることがミソなのである。仕事ならばなんてことはないが、趣味の領域で後輩に頼られたのであれば、悪い気がしないのは当然である。ここで後輩とも打ち解けられれば、今後の仕事もスムーズに進むことも付け足すと、より納得が得られやすくなるだろう。

言い訳 02 事前に伝えていたはずだし、今からキャンセルはできない

　あらかじめ「この日は出かける」と伝えていたはずであるという主張だ。すでに参加の連絡をしており、特にゴルフなど人数が欠けると行うのが難しいようなイベントであれば、緊急の用事でもない限り急遽キャンセルするのも迷惑がかかる。同行者にも悪いから、断るわけにはいかないのだ。

言い訳 03 会社の保養所の優待券が当たり、タダで行ける

　金銭的リスクを減らし、相手の了承を得やすくする方向の言い訳である。大人のレジャーは大抵お金がかかる。家族のひんしゅくを買いやすいのも、その点にあるだろう。しかし、今回は多少お得なのである。会社の保養所やその周辺施設の優待が受けられ、かなりコストが抑えられるのだ。普段より安く行けるとなれば、家族の同意も得やすくなるだろう。

 ワンポイントアドバイス ┃温泉など家族が楽しめる保養所などが本当にある場合は、「予約が取れるかわからないが機会があれば、今度家族で行こう」と提案できるとなおよい。

長期休みで
実家に帰省したくない

　社会人ともなると、よほど実家が近くない限り、長期休み以外で帰ることはまれである。家族は年数回しか会えないため、そのときを楽しみにしているかもしれないが、連休を取れる機会もそれほど多くないのに帰省するのは、正直おっくうだと感じても不思議ではない。普段できなかったことをまとめてやりたい、一人でゆっくり過ごしたいということもあるだろう。特に未婚の場合は「結婚はまだ？」「孫の顔が早く見たい」などと、なかなか頭の痛い話題を振られるのが目に見えているため、なおさら帰省が面倒になる。

言い訳 01 > 会社の都合で 休みだったはずが出社になった

　会社が一定期間に自由に休みを取得する制度に変わった、もしくは連休中の当番対応が必要など、通常の連休期間とは異なるタイミングで休みを取得することになったという言い訳である。前者の場合は、同僚との兼ね合いでまとめて休みを取得することが難しいことを併せて伝える。

言い訳 02 > ハイシーズンで切符が取れなかった

　実家が遠い場合に有効である。直前となると飛行機や新幹線は金額も高くなり、空きがある保証もない。休みの予定がなかなか決まらず、ギリギリまで切符の手配ができなかった。やっと日程が確定したときには後の祭りで、席の予約はいっぱいになってしまっていたという状況だ。そのほかの交通手段では、金銭的／時間的効率が悪く現実的ではないことを併せて伝えよう。

 ワンポイント アドバイス ‖ 単に「切符が高い」とだけ言うと、帰省してほしい家族が負担するとも言い出しかねないため、予約が取れないというところを強調する。

言い訳 03 > 資格試験が近いので 勉強に集中したい

　コツコツと準備してきた資格試験の本番が迫ってきており、この休みがまとまって勉強ができる最後のタイミングであるため、追い込みに使いたい。次に帰るときは合格証を持って凱旋すると意気込みも併せて伝えると効果的だ。なんの資格なのか聞かれたら、すでに取得済みのものを挙げる。

「いい人いないの?／まだ結婚しないの?」と聞かれた

　実家に帰省した際や、親に会ったときに聞かれる定番の質問だ。実際の恋人の有無にかかわらず、詳細に説明するのはおっくうな質問である。しかし、はぐらかすほど親の心配は大きくなる一方であるのは間違いない。苛立ちとともについ邪険に返してしまうこともあるだろうが、親も子どもを愛しているからこそ気になるのである。今回は前提条件を少し加えて、恋人がいる場合とそうでない場合に分けて紹介する。

言い訳 01 〉【恋人がいる場合】 実は転職を考えていて 今バタバタしている

今の会社で長年頑張ってきたが、新たな業界でチャレンジしてみたい。そんなとき、希望していた業界の複数の会社からオファーが来た。パートナーも応援しているので、今は転職活動に集中したい。後の結婚を考えても、新たな業界で今よりもっと給料のいい仕事に就いておいたほうが安心だ、と付け加えるとよい。

言い訳 02 〉【恋人がいる場合】 貯金が全然なくて…

もちろん今すぐにでもパートナーと結婚したい。ただ、それには引っ越しや家具の購入など、新しい生活の準備のために結構な金額のお金が必要だ。残念なことに二人とも貯金はカツカツ。浪費せずに協力して結婚資金を貯めているから、数年後には具体的な計画を立てられそうだということを伝えよう。

言い訳 03 〉【恋人がいない場合】 言ってなかったけど、 この前別れたばっかりで

いないのではない、いなくなってしまったのだ。これはつらい状況である。家族も追及しづらいだろう。将来のことも見据えて付き合っていて、折をみて紹介することを考えていたのだが、それも叶わぬ夢となってしまった。「今度友人が婚活中の人を紹介してくれると言っているので、うまくいきそうであれば連絡するよ」などとポジティブな締めを意識すると話を切りやすい。

ワンポイント アドバイス　あまり落胆したふりを強調すると余計な心配を与えてしまうので、今は前向きな気持ちであるため大丈夫だということを伝えるとよい。

町内会や自治会、PTAなどの役員任命を断りたい

持ち回りでやっているため、いずれ自分の番が回ってくる。誰かがやってくれているからこそ地域や組織が成り立っているのもわかるし、自分もその恩恵を受けている部分もあるだろうと思う。ただ、担当した人の話を聞く限り、相当面倒であることは間違いない。くわえて自分はそれほど人と話すのが得意でもないし、なかなか物事を決めることができない。仕事や家庭も忙しく、これ以上なにかをしようにも時間的な余裕はあまりない。なんとかこの大役をかわすことはできないだろうか。

言い訳 01 > 手がかかる子どもがいる／身内に要介護者がいる

特に手のかかる子どもがいる、もしくは遠方で過ごす親の介護で定期的に実家に行かなければならない、と断る方法である。前者の場合、「代わりに面倒をみようか」などと言ってくる人などそうそういないため、細かく話す必要はない。後者の場合も、遠方に住む親の状況など確認しようがない。

言い訳 02 > 仕事の勤務時間が不定期（夜遅いことが多い）なので集まりに出られない

町内会やPTAの場合、休みの日や平日の夕方以降に会合が開かれることが多いと思う。仕事の都合で夜も稼働する必要がある、もしくは休日が不定期であるため、引き受けることができない旨を伝えよう。会合の時間帯に家にいることが知られていたとしても、「在宅で仕事をしている」と言えば問題ない。

言い訳 03 > 突発的な出張が多く、家に居ないことが多い／会社の指示で転勤の可能性がある

これでは引き受けたとしても全く頭数に入らない。結果的にほかの役員にも迷惑がかかってしまう。できるときだけ参加すればいいというものでもないので、心苦しいが今期は誰かほかの人にお願いしたい。任命を回避したあと、転勤について聞かれた場合は、「引っ越しや単身赴任は免れたものの、やや遠い勤務地になり、通勤に時間がかかるようになってしまった」と答えよう。

ワンポイントアドバイス　「出張が多く会合に不在となることが多いが、それでもよいのであれば」と協力はしたいという気持ちを付け加えてもよい。

77 | へそくり（口座）の存在が バレた

　そもそも隠すからバレるのであるが、やむをえぬ理由があるのだろう。覚えのない銀行から口座に関するお知らせが届き家族がそれを見たのか、スマホに取引用のアプリが入っていたのを見られたのか、高い買い物をした際に「一体どこにそんなお金があるのか」と問い詰められたのか…。いずれにせよ見つかってしまったものはもう隠せない。それでも家族に差し押さえられる前に、最後の抵抗を試みてみよう。

言い訳 01 > もしものときのために こっそり貯金していた

へそくりなどではなく、有事に備えたプール金なのである。怪我や病気、急な葬儀、介護で車が必要になったなど、なにか大変なことがあったときのために貯めていたのだ。「もしも」の事態が当面ありそうになければ、当初のもくろみ通り自分のために使うことができるかもしれない。

 ワンポイント アドバイス ‖ 入出金の具体的な内容を曖昧にするためにも、通帳は作らないほうがベター。

言い訳 02 > 通常使う口座にお金が入っていると、つい使ってしまうので分けていた

昔から浪費癖があり、毎月給料日前にはひもじい思いを何度もしてきたのに、どうしても直らない。そうだ、普段使う口座とは別に分ければ貯金ができるかもしれない。そういう考えから、自分のお金を分けるための純粋な預金口座として作っていたものだと伝えよう。

言い訳 03 > 休眠口座防止のために 定期的に積立てしていた

一定期間取引がないと、銀行の口座は「休眠口座」としてロックされてしまう。それほど使わないものを無理に維持する必要もないのだが、定期的に少額の振込をすることにより休眠口座となることを回避していたことを説明しよう。ただし、「それほど使わないのなら解約すればよい」と言われてしまったときは、諦めて口座の残金を差し出すしかない。

ソシャゲに結構課金していたことが家族にバレた

　最後まで無課金でやりきると心に誓ったのに、お得なキャンペーンに釣られてついに課金を始めてしまった。いくらやってもレアが出ないガチャを、「次は絶対に出る」と念じながら回すこと数十回…。一度タガが外れてしまうと止まらなくなってしまうものだ。最初のうちは少額だったためごまかせていたのだが、段々とエスカレートし、多額のお金をつぎ込んでいることをついに家族に見つかってしまった。もちろん今後こういった極端な課金はやらないつもりだが、ソシャゲを禁止されるのは避けたいところ…。

言い訳 01 > アイテムを一桁間違えて買ってしまった

スマホの画面にびっしりと並ぶ小さな購入金額のボタン。ガチャにヒートアップしている状態で、あまり確認せず、つい隣の一桁多い金額のボタンを押してしまったのだ。一度決済が完了すると、よほどのことがなければ返金は難しい。あくまで間違いで、同じミスは二度としないことを強調しよう。

ワンポイントアドバイス ‖ カードやキャリア決済ではなく、コンビニで購入できるギフトカードなどを活用すると足がつきにくい。

言い訳 02 > その分飲み会とか食費、コーヒー代を抑えているのでトントン

ほかの出費を抑えることによって原資はしっかりと確保していることを説明しよう。例えばコーヒー代250円と間食代150円が毎日かかり、月に20日会社に行ったとして8,000円。これに飲み会2回分の10,000円を加えて18,000円。2〜3万円くらいの金額ならば、「これらを削減して財源を絞り出している」と、具体的な数字を出して説明することにより反論を受けにくくなる。

言い訳 03 > これしかやることがなくて…

これは究極の一言である。多くの人は移動中や隙間時間の暇つぶしとして、片手間にソシャゲを楽しんでいることだろう。しかし自分は違う。唯一の趣味といえるものがこれしかないのである。悲しげな表情とともに伝えられると、よほど常軌を逸した金額でない限り、同情されて禁止まではされないはず。

　あまり知識がないため、有名投資家のSNSや情報誌がおすすめする株を中心に売り買いしていたが、ある日を境に下落の一途だ。引き際もわからず損切りもできない。「売らなければ損にはならない」という言葉を信じ、しばらく塩漬けにしていたが、しびれを切らして売却した直後に高騰してしまった。気がつけば投資した金額のほとんどを失っており、勉強代で片付けられる程度ではなくなってきている。給与口座の残高の動き方に不信を抱いた家族から「一体何に使っているのか」とついに問い詰められた…。

言い訳 01

もともと儲けていたお金が なくなっただけなので、損失ではない

　直近のマイナスだけを見れば確かに損失のようにも見えるが、投資を始めたころからの長期的な視点で考えれば損失ではない。確かに逸失利益という考え方では損をしているような感じもあるが、そうではないのである。自分が投入したお金自体がなくなっているわけではないことを主張しよう。

ワンポイント アドバイス | トータルの投資金額を聞かれた場合、ボーナス1回分程度の金額を伝えよう。高額ではあるが、ギリギリ許容範囲と言えるラインがこのあたりである。

言い訳 02

今仕込んでいるのが伸びるから、 すぐに回収できる

　株はギャンブルではない、将来への投資である。様々な分析の結果、株価が倍増しそうな企業を見つけ、そこに集中して投資しており、じきに伸びるはずなのだ。資金を集めるために「今後伸びる確率は少ない」と判断した株を損切りしたのみで、すべて予想の範囲内であり、一時的にマイナスとなっているだけなのだ。言ってみれば、すべては計画通りなのである。

言い訳 03

ほかの投資では成功しているから トータルではプラス

　リスク分散を考えて、様々な方法を組み合わせて資金を分散させるのが、投資では一般的である。たまたま個別の株関連に損失があるように見えるが、もちろんしっかりとリスクヘッジはできている。不動産や外貨預金など、全体では問題なく健全な状態を維持できていることを主張しよう。

あとがき

「はじめに」で記載した通り、本書は同人誌として作成した『スマート言い訳全集1〜3』のコンセプトを引き継ぎ、より汎用的に活用できるようにシチュエーションの拡充と内容の見直しを行った1冊になります。

　生活様式や文化は時代によって変わってくるため、時が経てば使いにくい内容となってしまうものがあるかもしれませんが、言い訳を作るコツのようなものをつかんでもらえれば、どんな状況でも臆すことなく対応できるようになるはずです。実際のトラブルシーンで本書の効果を実感してもらえれば幸いです。

　本書の執筆にあたっては、実用的でありながらも一冊の本としてエンターテイメント性を失わないようにすることを心がけました。

　練りに練った一級品の言い訳を惜しみなく詰め込み、「明日から即使える実用書」という体裁をとりつつも、言い訳でピンチを切り抜けるというばかげた内容を真剣に論じる、一種のエンターテインメントとしてこの上ない出来に仕上がったと思っています。

言ってみれば、高級素材を惜しみなく使った栄養満点のヘルシーなジャンクフードといったところでしょうか。

　意図せずトラブルに巻き込まれてしまった場合でも、高度に計算されたコミュニケーションにより、荒波立てず人間関係を良好に保つことを目的としています。

　私はこれまでにスマート言い訳を日常的に活用し、度重なるピンチを華麗に乗り越えてきました。

　そこには言い訳を繰り返すことに対する後ろ暗い気持ちはなく、自身の研究成果を試す純粋な喜びのほうが大きかったと思います。

　もし、読者の方々がこの本に掲載しているようなシチェーションに出会ってしまったら、「ついに実践するときがきた」とぜひポジティブにとらえてみてほしいです。

　上手くいかなかったときには「高度なコミュニケーションを楽しむことができてよかった」と自身に言い訳してしまいましょう。

　「言い訳は簡潔に」が私のモットーですが、思いのほか長いあとがきになってしまいました。ここらで筆をおくとします。

最後までお読みいただいた読者の皆様、本当にありがと
うございました。

　また、本書の刊行にあたって、企画段階から多大なご尽
力をいただいた小学館クリエイティブの編集者の皆様、シ
チュエーションや言い訳を的確にとらえ、秀逸なイラスト
を描いていただいたイラストレーターの千野エー氏、本書
を華やかに彩るデザインを作成していただいたデザイン会
社tobufuneの皆様に心からお礼申し上げます。

2023年8月　きりき

＼絶体絶命のピンチを切り抜ける／
スマート言い訳全集

2023年10月2日　初版第1刷発行

[著者]　　　きりき

[絵]　　　　千野エー

[発行人]　　尾和みゆき

[発行所]　　株式会社小学館クリエイティブ
　　　　　　〒101-0051
　　　　　　東京都千代田区神田神保町2-14 SP神保町ビル
　　　　　　電話0120-70-3761（マーケティング部）

[発売元]　　株式会社小学館
　　　　　　〒101-8001
　　　　　　東京都千代田区一ツ橋2-3-1
　　　　　　電話03-5281-3555（販売）

[印刷・製本]　中央精版印刷株式会社